『となえて おぼえる 漢字の本』

～使いかた～

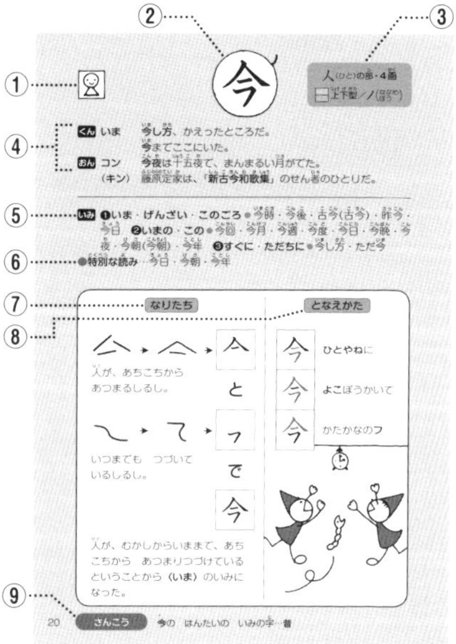

① 漢字ファミリーのシンボルマークです。下村式では、漢字をなりたちのテーマで12のグループに分けました。(214ページ「漢字ファミリー分類表」参照)

② 見出しの漢字です。本書では漢字を漢字ファミリーごとに、関係の深い順に配列してあります。

③ 部首・画数のほかに、「下村式 はやくりさくいん®」による、漢字の「型」と「書きはじめ」をしめしました。(209ページ参照)

④ 訓読みをひらがな、音読みをカタカナでしめしました。訓読みの細い字は送りがなです。(　) は小学校で習わない読みかたです。

⑤ 漢字の意味と熟語例をしめしています。意味がいくつもある場合には❶❷…とし、意味ごとに熟語を分けてしめしました。

⑥ 読みや送りがなの注意です。

●特別な読み…文化庁の定める「常用漢字表」の付表にのっている、特別な読みかたをすることばをしめしました。そのうち(　) は小学校で習わないことばです。〈都道府県〉は都道府県名に使われる読みです。

●読み方に注意…④にしめした読みかた以外で読むことばなどをしめしました。

●送りがなに注意…使いかたによって送りがなに注意が必要なことばをしめしました。

⑦ 漢字が絵から、どのようにできたのかをしめしました。漢字のおおもとの意味や組みたてを、下村式独自の新しいくふうと解釈でわかりやすく説明しています。

⑧ 漢字の書き順の流れを、下村式の「口唱法®」で、絵かきうたのようにとなえながらおぼえられます。(190ページ「となえかたのやくそく」・222ページ参照)

⑨ この漢字を書くときの注意や、この漢字を使ったことばのクイズなどをのせました。クイズの答えは、212ページにあります。

おうちの方へ●『となえて おぼえる 漢字の本』についてのくわしい説明は222ページを見てください。この本にもとづく『となえて かく漢字練習ノート』で書きとりをして、読み書きの問題を解くと、さらに学習が深まります。

となえて おぼえる® 下村式

漢字(かんじ)の本(ほん)

改訂４版

小学２年生

下村 昇＝著 まつい のりこ＝絵

とん　とん　とん
ごし　ごし　ごし

こびとは　なにを
つくって　いるのかしら？

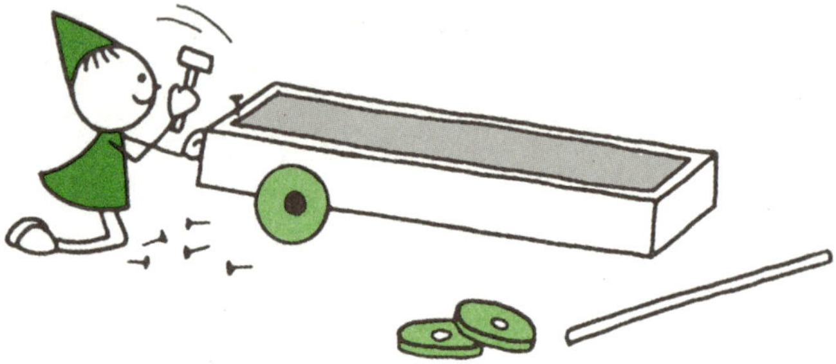

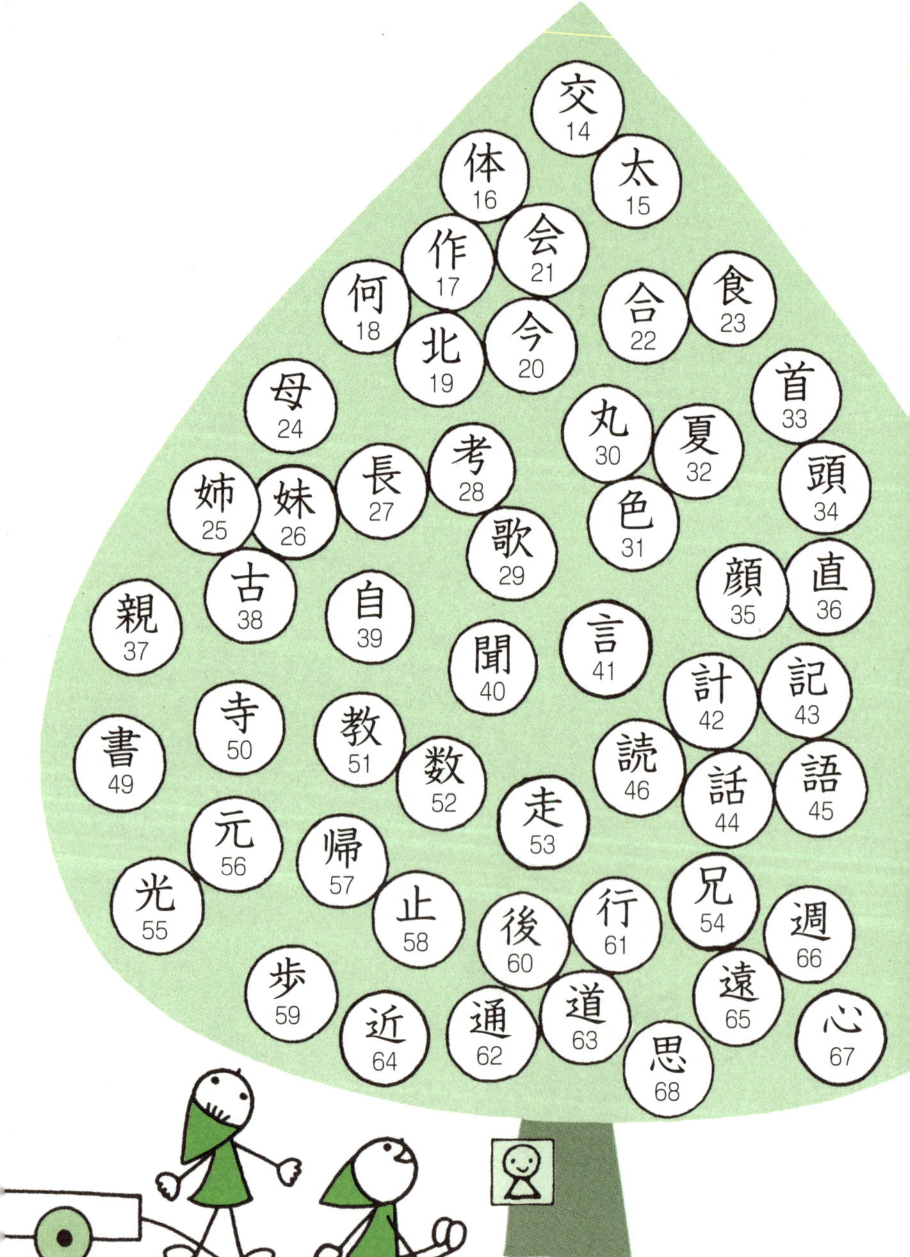

交 14
太 15
体 16
作 17
何 18
北 19
今 20
会 21
合 22
食 23
母 24
姉 25
妹 26
長 27
考 28
歌 29
丸 30
色 31
夏 32
首 33
頭 34
顔 35
直 36
親 37
古 38
自 39
聞 40
言 41
計 42
記 43
話 44
語 45
読 46
書 49
寺 50
教 51
数 52
走 53
兄 54
光 55
元 56
帰 57
止 58
歩 59
後 60
行 61
通 62
道 63
近 64
遠 65
週 66
心 67
思 68

つくった車(くるま)を　ひいて
やってきたのは、
森(もり)のなか。
かん字(じ)の　木(き)のみが
いっぱい。

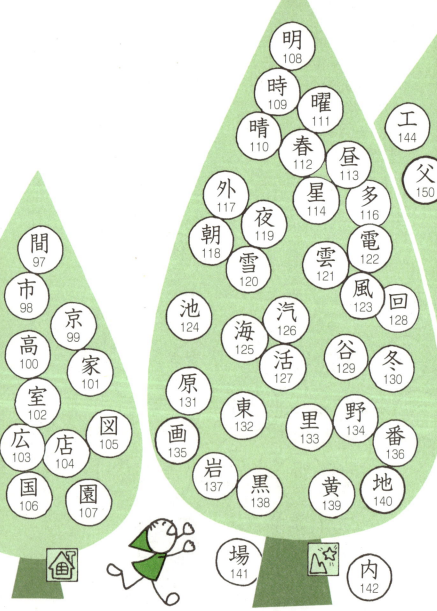

社 143
刀 145
分 146
切 147
新 151
午 152
声 153
南 154
楽 155
弓 156
引 157
強 158
矢 159
台 160
弟 161
知 162
同 164
用 163
船 165
前 167
方 166
紙 168
細 169
組 170
絵 171
線 172
理 173
形 174
万 175
少 176
点 178
当 177
その他

ここにも　たくさん。

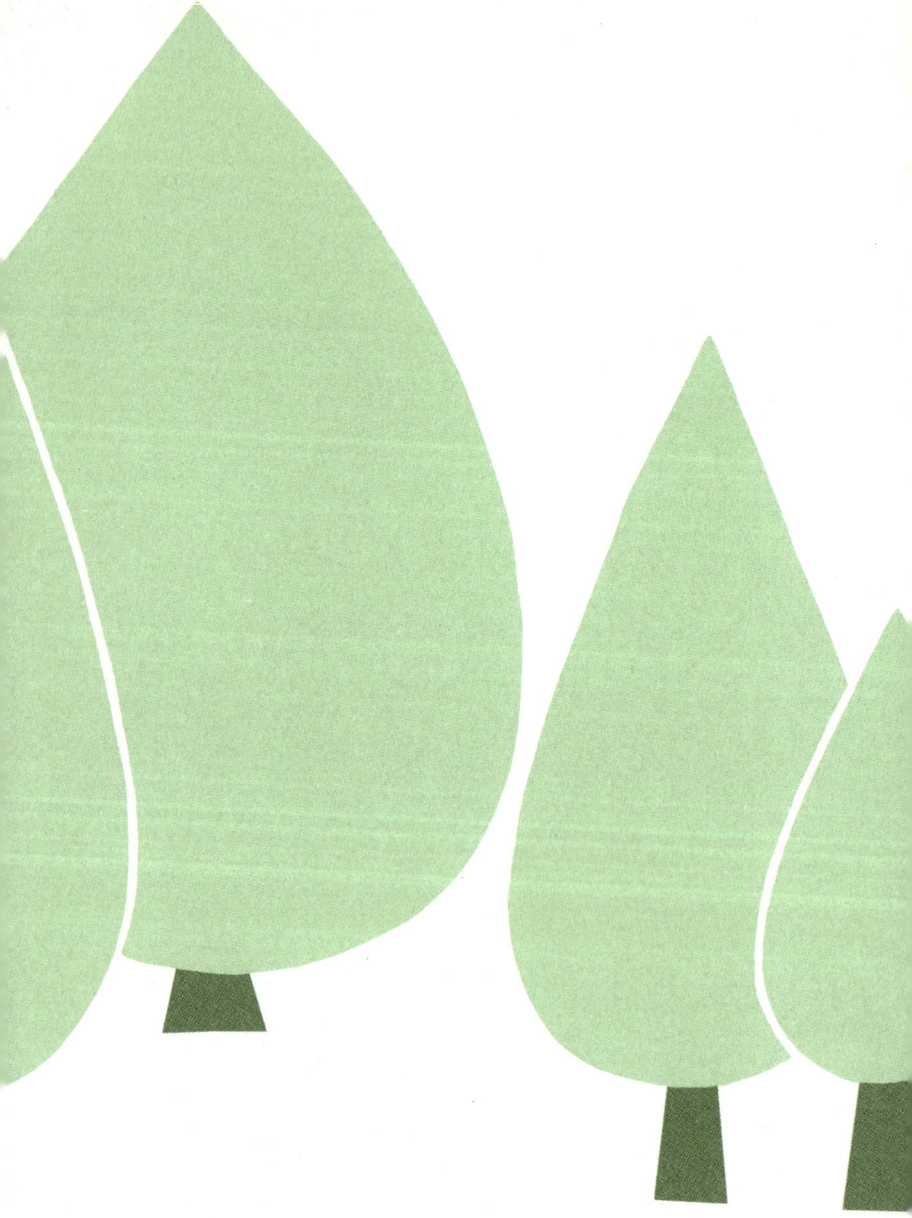

「さあ、かん字の　木のみを
くばりましょう」

こびとが　木のみを
はこんでいくと……
あれ　あれ、これは　なんだろう。

「かん字はね、
えから　できたんだよ。

どのかん字にも、
なりたち のところが　あるから
よく　みてごらん。」
と、ちいさな　虫が　いいました。

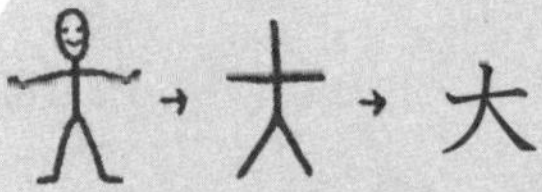

人の前むきの
かたち

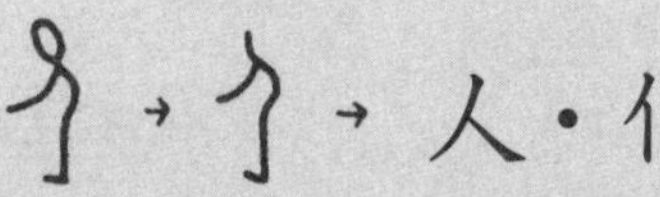

人の横むきの
かたち

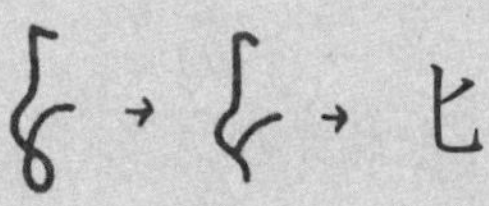

人が　さかさまに
なった　かたち

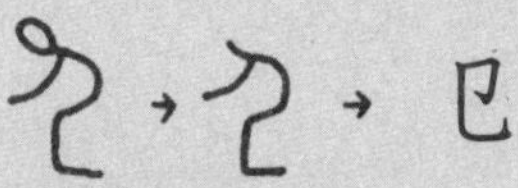

人が　ひざをついた
かたち

人が　よこたわって
いる　かたち

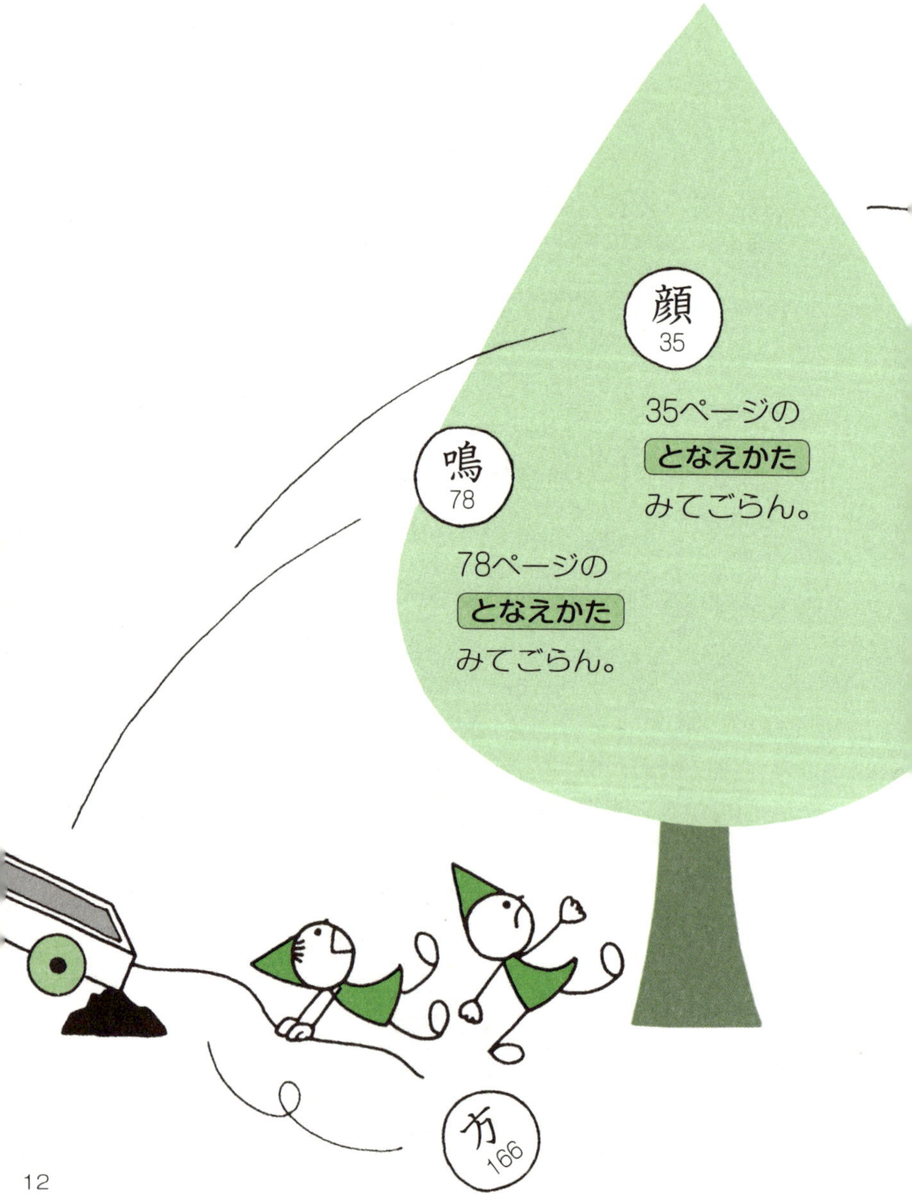
顔
35
35ページの
となえかた
みてごらん。
鳴
78
78ページの
となえかた
みてごらん。
方
166

「**となえかた** はね、かん字を
口で　となえながら　かけるように
してあるんだよ。」
と、ちいさな　虫が
おしえてくれました。

さあ、木のみを　ひろって
まえへ　すすみましょう。

交

亠（なべぶた）の部（ぶ）・6画（かく）

上下型（じょうげがた）／丶（てん）

くん まじわる　線路（せんろ）と道路（どうろ）が**交（まじ）わる。**　まじえる　敵（てき）と一戦（いっせん）**交（まじ）える。**

まじる　漢字（かんじ）とかなが**交（ま）じる。**　まざる　かん字（じ）が**交（ま）ざっ**た文（ぶん）。

まぜる　米（こめ）に麦（むぎ）を**交（ま）ぜる。**　（かう）　車（くるま）が**行（い）き交（か）う**大通（おおどお）り。

（かわす）　あいさつを**交（か）わす。**

おん コウ　キャンディーをチョコと**交換（こうかん）**した。

いみ ❶**まじわる・まじえる**　交差（こうさ）・交渉（こうしょう）・交通（こうつう）・交付（こうふ）・交流（こうりゅう）　❷**つきあう**　交際（こうさい）・交友（こうゆう）・外交（がいこう）・社交（しゃこう）　❸**かわる・かえる**　交換（こうかん）・交互（こうご）・交代（こうたい）・交番（こうばん）

なりたち

人（ひと）が　足（あし）を　くんでいる
かたち。

足（あし）を　くんでいるかたちから
〈まじわる〉のいみになった。

となえかた

交	てん　一（いち）
交	八（はち）をかき
交	左右（さゆう）にはらう

きを　つけよう　「**交（まじ）わる**」「**交（ま）じる**」は、「交（ま）じわる」「交（まじ）る」と　しない。

太

大（だい）の部・4画

□その他型／一（よこぼう）

くん ふとい　神社に、高くて**太い**木がある。

ふとる　食べすぎると**太る**。

おん タイ　地球は**太陽**のまわりをまわっている。

タ　**丸太**で山小屋を建てる。

いみ **❶大きい・ふとい**●肉太・筆太・骨太・太鼓・太陽・丸太・太刀　**❷とても・ひじょうに**●太古・太平　**❸はじめ・おこり・いちばんめ**●太子・太初・太郎

●**特別な読み**…（太刀）

なりたち

「大」が　ふたつ　かさなった　かたち。

「大」が　かさなって　**〈大きい・ふとい〉**　や、**〈とても〉**　という　いみを　あらわす。

となえかた

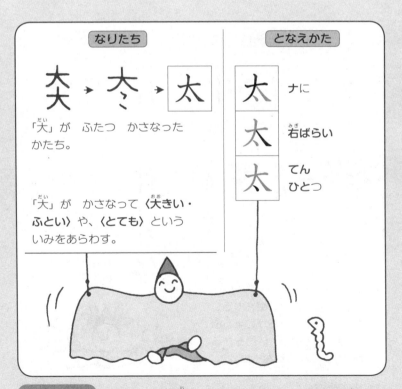

きを　つけよう　**太**と　にている字…**大**・**犬**

体

人(ひと)の部(ぶ)・7画(かく)

左右型(さゆうがた)／ノ(ななめぼう)

くん **からだ**　父(ちち)はよく、**体(からだ)**をきたえなさいという。

おん **タイ**　むかいの家(いえ)のおじいさんは毎日(まいにち)、**ラジオ体操(たいそう)**をする。

（テイ）　プレゼントを**体裁(ていさい)**よく、つつむ。

いみ **❶からだ**●体育(たいいく)・体温(たいおん)・体格(たいかく)・体質(たいしつ)・体重(たいじゅう)・体操(たいそう)・体力(たいりょく)・身体(しんたい)・人体(じんたい)　**❷すがた・ようす**●体形(たいけい)・体勢(たいせい)・体面(たいめん)・体裁(ていさい)・正体(しょうたい)・文体(ぶんたい)　**❸身(み)につける**●体験(たいけん)・体得(たいとく)　**❹ぜんたい**●体系(たいけい)・全体(ぜんたい)・天体(てんたい)　**❺もとになるもの**●実体(じったい)・物体(ぶったい)・本体(ほんたい)

なりたち

人(ひと)の　よこむきのかたち。

と

じめんに　しっかりと　たっている木(き)。

で

体

大地(だいち)に　しっかり　根(ね)をおろした木(き)のように、からだがじょうぶでいてほしいという　きもちから**〈からだ〉**のいみになった。

となえかた

にんべんに（**イ**をかいて）

よこ

たてかいたら

左右(さゆう)に**はら**って

みじかい よこぼう

きを　つけよう　**体**と　にている字(じ)…**休**

作

人(ひと)の部(ぶ)・7画(かく)

左右型(さゆうがた)／ノ(ななめぼう)

くん つくる　母(はは)の誕生日(たんじょうび)にケーキを**作(つく)る**。

上級生(じょうきゅうせい)とのよい関係(かんけい)を**作(つく)る**。

おん サク　遠足(えんそく)の**作文(さくぶん)**を書(か)いた。

サ　カメは**動作(どうさ)**がのろい。

いみ **❶つくる・こしらえる**●作(つく)り話(ばなし)・作業(さぎょう)・作者(さくしゃ)・作成(さくせい)・作文(さくぶん)・作曲(さっきょく)・工作(こうさく)　**❷つくられたもの**●作品(さくひん)・傑作(けっさく)・原作(げんさく)・名作(めいさく)　**❸はたらき・しわざ**●作戦(さくせん)・作用(さよう)・操作(そうさ)　**❹人(ひと)のふるまい・おこない**●作法(さほう)・動作(どうさ)　**❺農業(のうぎょう)の仕事(しごと)**●作物(さくもつ)・耕作(こうさく)・畑作(はたさく)

なりたち

→ イ

人(ひと)の　よこむきのかたち。

と

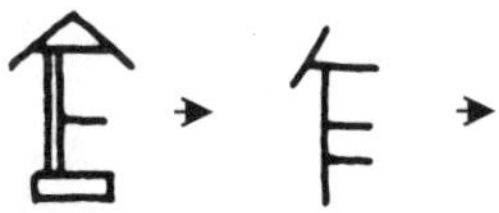

→ 乍

つくりかけの　いえの
かたち。

で

作

人(ひと)が　いえを　つくっている
かたちから **〈つくる〉** の
いみになった。

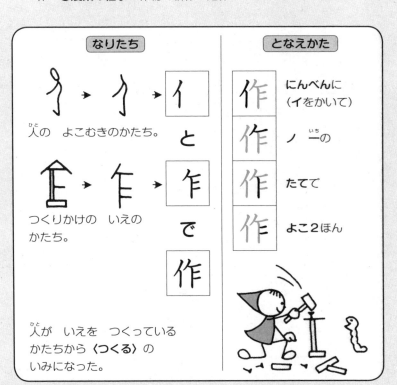

となえかた

にんべんに
（イをかいて）

ノ　一(いち)の

たてで

よこ2ほん

つかいわけ　母(はは)とごはんを**作(つく)る**。大(おお)きなタンカーを**造(つく)る**。

何

人(ひと)の部(ぶ)・7画(かく)
左右型(さゆうがた)／ノ(ななめぼう)

くん なに　むこうのほうで、何(なに)か音(おと)がした。
何(なに)もよいことは、なかった。
何事(なにごと)も、しんぼうすることが大切(たいせつ)だ。
なん　何(なん)となくこわい。
何十(なんじゅう)もの、まぶしい光(ひかり)がみえる。

おん （カ）　美(うつく)しい幾何学(きかがく)もようのハンカチ。

いみ **はっきりとわからないものをさすことば** ● 何事(なにごと)・何者(なにもの)・何十(なんじゅう)・何人(なんにん)・何年生(なんねんせい)・何本(なんぼん)・幾何学(きかがく)

なりたち

人(ひと)が、にもつを　せおっている かたち。

人(ひと)の　せおっている　にもつの なかみが　なにか　わからない ことから **〈なに〉** という いみになった。

となえかた

何	にんべんに（イをかいて）
何	よこ一(いち)
何	口(くち)で
何	たてはねる

きを　つけよう 何の「可」を「司」と　しない。

北

匕（ひ）の部（ぶ）・5画（かく）
左右型（さゆうがた）／一（よこぼう）

くん きた　さむい**北風**（きたかぜ）が、冬（ふゆ）をはこんできた。
おん ホク　**北斗七星**（ほくとしちせい）は、みつけやすい星（ほし）だ。
北極星（ほっきょくせい）は、こぐま座（ざ）にある。
方位（ほうい）じしゃくの針（はり）は、かならず**南北**（なんぼく）をさす。

いみ **❶きたのほうがく**●北風（きたかぜ）・北国（きたぐに）・北緯（ほくい）・北上（ほくじょう）・北進（ほくしん）・北端（ほくたん）・北斗七星（ほくとしちせい）・北部（ほくぶ）・北面（ほくめん）・北洋（ほくよう）・北海（ほっかい）・北極（ほっきょく）・北方（ほっぽう）・南北（なんぼく）　**❷せをむける・にげる・そむく**●敗北（はいぼく）

なりたち

北

ふたりの人（ひと）が、せなかあわせにならぶかたち。

たいようの　ほうを　むいた人（ひと）に
せなかを　あわせて立（た）つと
きたむきに　なる　ことから
〈きた〉のいみになった。

となえかた

北	よこ
北	たて
北	したから **もちあげて**
北	ノをかいたら
北	**たてまげはねる**

さんこう　**北**の　はんたいの　いみの字（じ）…**南**

今

人（ひと）の部・4画

上下型／ノ（ななめぼう）

くん いま　今し方、かえったところだ。

今までここにいた。

おん コン　今夜は十五夜で、まんまるい月がでた。

（キン）　藤原定家は、「**新古今和歌集**」のせん者のひとりだ。

いみ **❶いま・げんざい・このごろ** ● 今時・今後・古今（古今）・昨今・今日　**❷いまの・この** ● 今回・今月・今週・今度・今日・今晩・今夜・今朝（今朝）・今年　**❸すぐに・ただちに** ● 今し方・ただ今

● **特別な読み**…今日・今朝・今年

なりたち

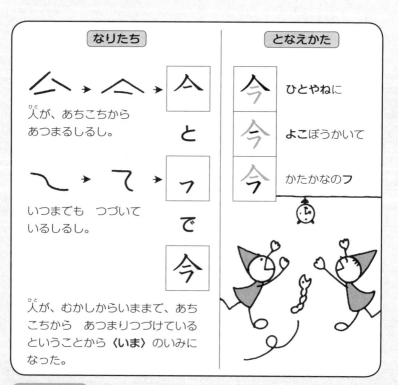

人が、あちこちから
あつまるしるし。

と

いつまでも　つづいて
いるしるし。

で

今

人が、むかしからいままで、あちこちから　あつまりつづけているということから〈**いま**〉のいみになった。

となえかた

ひとやねに

よこぼうかいて

かたかなの**フ**

さんこう　今の　はんたいの　いみの字…昔

会

人（ひと）の部（ぶ）・6画（かく）
上下型（じょうげがた）／ノ（ななめぼう）

くん あう　卒園（そつえん）して、はじめて友（とも）に**会う**（あう）。
会っ（あっ）て、話（はなし）をするのが早（はや）い。

おん カイ　アメリカ人（じん）に**英会話**（えいかいわ）をならう。
（エ）　友（とも）だちと**会釈**（えしゃく）をかわす。

いみ **❶あう・であう**● 会見（かいけん）・会談（かいだん）・会話（かいわ）・再会（さいかい）・面会（めんかい）　**❷かい・あつまり**● 会議（かいぎ）・会合（かいごう）・会社（かいしゃ）・会場（かいじょう）・会長（かいちょう）・開会（かいかい）・国会（こっかい）・社会（しゃかい）・大会（たいかい）・部会（ぶかい）　**❸心（こころ）にかなう・ぴったりする**● 会釈（えしゃく）・会得（えとく）・会心（かいしん）　**❹とき・おり**● 機会（きかい）

なりたち

亼

人（ひと）が、あちこちから
あつまるしるし。

と

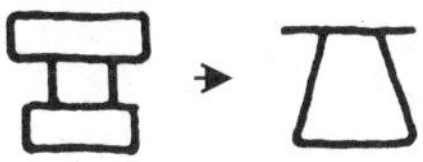

云

かさなりあった　かたち。

で

会

人（ひと）が、ひとつの
ところに　あつまってきて、
かさなりあうようだ　という
ことから **〈であう・あつまり〉**
のいみになった。

となえかた

会	ひとやねに
会	よこぼう２ほんで
会	ムをつける

つかいわけ　・公園（こうえん）で友（とも）だちと**会う**（あう）。計算（けいさん）が**合う**（あう）。

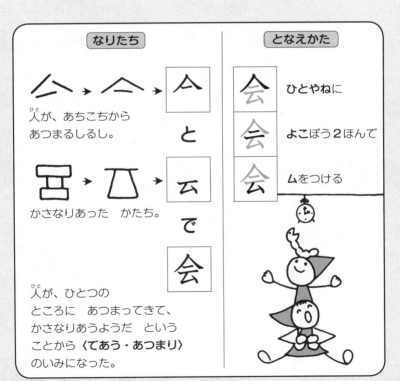

合

口(くち)の部・6画

上下型／ノ(ななめぼう)

くん あう　先生と**話し合う。**　あわす　ぶつだんに手を**合わす。**

あわせる　くつとズボンの色を**合わせる。**

おん ゴウ　運動場に**集合**する。　ガッ　音楽会で**合唱**する。

カッ　「さるかに**合戦**」でわるいのは、だれだろう。

いみ **❶あう・あわせる・まぜあわせる**●合図・合間・試合・待合室・合唱・合戦・合体・合意・合議・合計・合同・合流・会合・結合・混合・集合・配合・連合　**❷あてはまる**●合点・合格・合法・統合

●**読み方に注意**…「合点」は、「がてん」とも読む。

●**送りがなに注意**…「合図」「合間」「試合」「待合室」は、「合い図」「合い間」「試合い」「待ち合い室」とは書かない。

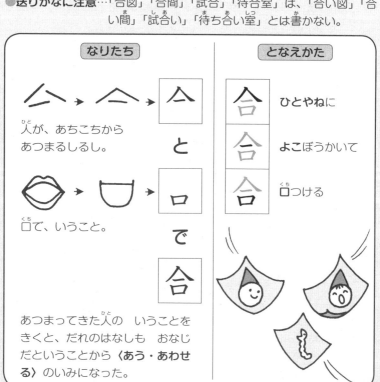

なりたち

人が、あちこちから
あつまるしるし。

と

口で、いうこと。

で

あつまってきた人の　いうことを
きくと、だれのはなしも　おなじ
だということから**〈あう・あわせる〉**のいみになった。

となえかた

ひとやねに

よこぼうかいて

口つける

きを　つけよう　**合**の「へ」を「八」と　しない。

食

食（しょく）の部・9画

□ その他型／ノ（ななめぼう）

くん くう　がつがつ**食う**のは、みっともない。

たべる　クリスマスイブにケーキを**食べる**。

（くらう）　どんぶりにいっぱいの大飯を**食らう**。

おん ショク　たのしい**夕食**の時間をすごした。

（ジキ）　**断食**をして、国に抗議する。

いみ ❶**たべる・くう**●食塩・食事・食卓・食通・食堂・食品・食物・食用・食欲・食料・食器・飲食・会食・給食・断食・朝食・夕食 ❷**太陽や月が見えなくなる**●皆既食・月食・日食 ❸**むしばむ**●侵食・浸食・腐食

なりたち

亽

人が、あちこちから
あつまるしるし。

と

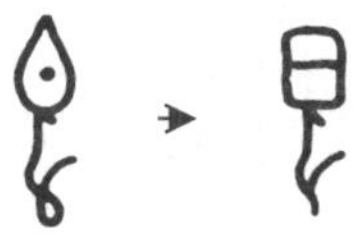

良

ふくろに　はいった
こめと、さかさまの
人を　あらわす。

で

食

さかさまの人は　へんかすること
をあらわすので、人があつまり、
こめを　へんかさせて（たいて）
〈たべる〉ことをあらわす。

となえかた

食	ひとやねに
食	てんつけ
食	かなのヨ
食	たてぼうはねて
食	左にはらって右ばらい

きを　つけよう　食の「良」を「艮」と　しない。

母

母(はは)の部・5画
□その他型／ノ(ななめぼう)

くん はは　母のつくったおべんとうはおいしい。
母なる大地のめぐみ。

おん ボ　わたしは**母乳**で育った。
父の**母校**をたずねる。

いみ **❶はは・おかあさん**　●母上・母親・母方・母音(母音)・母系・母子・母性愛・母堂・母乳・賢母・慈母・祖母・父母(父母)・老母・母さん・乳母・叔母・伯母　**❷生みのもと・大もと**　●母校・母国・母船・母体・母屋・母家

●**特別な読み**…母さん・(乳母・叔母・伯母・母屋・母家)

なりたち

女の人のむねに、ちぶさの
ついた　かたち。

ちぶさのついた　女の人のかたち
から**〈はは・おかあさん〉**のいみ
になった。

となえかた

くをかいて

かぎまげはねて

てん
ふたつ

そしてさいごに
よこぼうながく

きを　つけよう　**母**を「毋」と　しない。

姉

女（おんな）の部・8画
左右型／ノ（ななめぼう）

くん あね　**姉**のおさがりの服をもらう。
姉さんかぶりがよくにあう。

おん （シ）　とても、なかのよい**姉妹**。
横浜市とカナダのバンクーバーは**姉妹都市**だ。

いみ **あね・年上の女のきょうだい・女の人をよぶことば** ● 姉上・姉御・姉婿・姉妹・貴姉・義姉・諸姉・大姉・長姉・姉さん
● **特別な読み**…姉さん

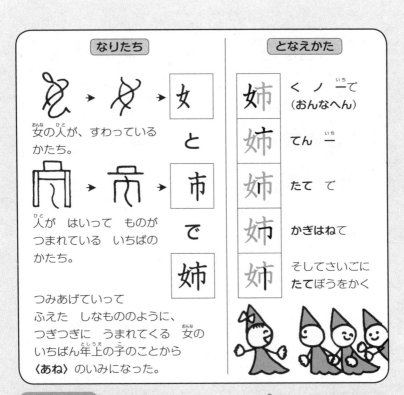

なりたち

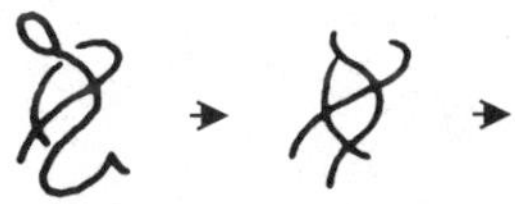

女

女の人が、すわっているかたち。

と

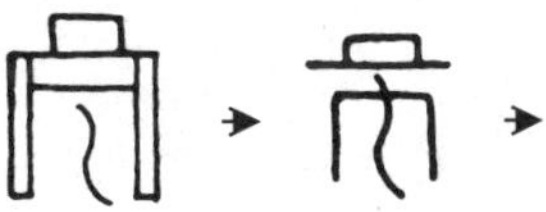

市

人が　はいって　ものが　つまれている　いちばの　かたち。

で

姉

つみあげていって
ふえた　しなもののように、
つぎつぎに　うまれてくる　女の
いちばん年上の子のことから
〈あね〉のいみになった。

となえかた

くノ一で（おんなへん）

てん　一

たて　で

かぎはねて

そしてさいごに**たて**ぼうをかく

きを　つけよう　姉の「市」は「一＋冂＋｜」と　書かない。

妹

女（おんな）の部・8画
左右型／ノ（ななめぼう）

くん **いもうと**　来年の春に、**妹**が生まれる予定だ。
とても**妹**思いの、たのもしい兄。

おん （マイ）　わたしたち**三姉妹**は、なかがよい。
西郷隆盛は、**弟妹**のめんどうをよくみたという。
自分の弟のおよめさんを、**義妹**という。

いみ **いもうと・年下の女のきょうだい**●妹分・義妹・姉妹・弟妹・令妹

なりたち

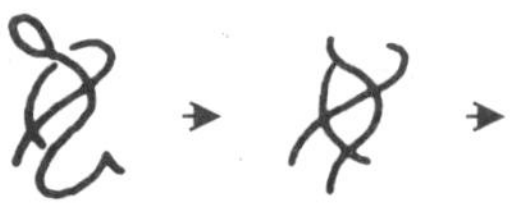

女

女の人が、すわっている
かたち。

と

未

まだ　のびきらない、
わかい　木のえだの
かたち。

で

妹

まだ　わかい　女のきょうだいの
ことから〈いもうと〉のいみを
あらわした。

となえかた

妹	くノ一 かいて
妹	よこ2ほん
妹	たてぼう かいたら
妹	左右にはらう

きを　つけよう　**妹**の「未」を「末」と　しない。

長

長（ながい）の部・8画
□その他型／｜（たてぼう）

くん ながい　おとなりのおばあさんは、たいへん**長生き**だ。
おん チョウ　**身長**が、またのびたよ。
有名な、ひげの**村長さん**。

いみ **❶ながい・ながさ** ● 長生き・長靴・長年・長話・長期・長寿・長身・長大・長途・長髪・長文・長編・長方形・身長　**❷そだつ・おおきくなる** ● 長者・長足・生長・成長　**❸いちばん上の人** ● 長官・長女・長男・長老・校長・村長　**❹年上** ● 長上・年長

● **特別な読み**…（八百長）

なりたち

かみの毛を　ながくした、
年よりのかたち。

つえをついた　年よりの　ながい
かみの毛をあらわす　かたちから
〈ながい・年上〉のいみになった。

となえかた

たてかいて

よこぼう４ほん
おわりを**ながく**

たてぼう
はねたら

左右に**はらう**

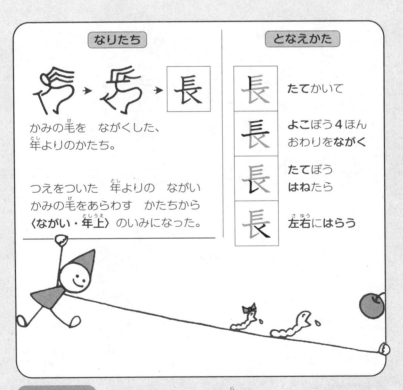

さんこう　**長**の　はんたいの　いみの字…**短**

考

夬（おいかんむり）の部・6画

上下型／一（よこぼう）

くん かんがえる　子犬が生まれたので、名まえを**考える**。

おん コウ　新しい料理を**考案**する。

有名な選手のフォームを**参考**にする。

いみ ❶かんがえる ● 考え事・考案・考訂・考慮・一考・再考・思考・熟考　❷しらべる・きわめる ● 考課・考究・考古学・考査・考察・考証・参考・備考

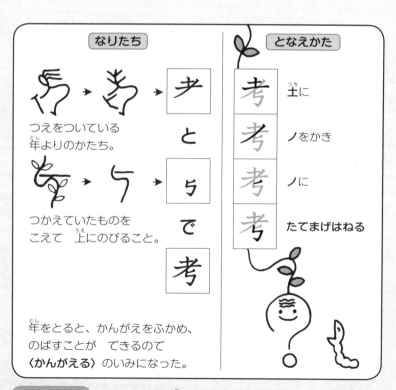

なりたち

つえをついている年よりのかたち。

と

つかえていたものをこえて　上にのびること。

で

考

年をとると、かんがえをふかめ、のばすことが　できるので〈かんがえる〉のいみになった。

となえかた

土に

ノをかき

ノに

たてまげはねる

きを　つけよう 考と　にている字…**老・孝**

歌

欠（あくび）の部・14画

左右型／一（よこぼう）

くん うた　音楽室から、**歌**がきこえてくる。

うたう　大きな声で「ふるさと」を**歌う**。

おん カ　合唱曲の**歌詞**をおぼえる。

いみ ❶**ふしをつけてうたう・うたうことば** ●歌曲・歌劇・歌詞・歌手・校歌・詩歌（詩歌）・牧歌　❷**五・七・五・七・七の三十一音からできている短歌や、長歌などの和歌** ●歌合わせ・歌集・歌人・短歌・長歌・和歌

なりたち

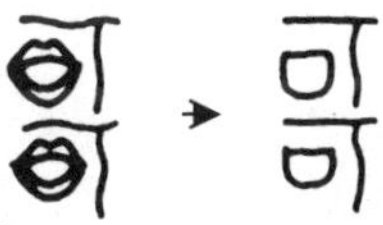

→ 哥

口からいきが、すうすうでるかたち。

と

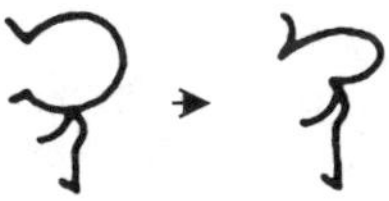

→ 欠

口を　大きくあけているかたち。

で

歌

口を　大きくあけて、のびのびと
こえを　はりあげることから
〈うたう〉 いみになった。

となえかた

よこ一

口 丨

よこ 口 丨

ノ　フと
つづけて

人をかく

きを　つけよう　**歌**の「欠」を「攵」と　しない。

丸

丶(てん)の部(ぶ)・3画(かく)

その他型(たがた)／ノ(ななめぼう)

くん まる　ヘビが、カエルを**丸(まる)のみ**した。

まるい　**真(ま)ん丸(まる)い**石(いし)をみつけた。

まるめる　紙(かみ)くずを**丸(まる)める**。

おん ガン　クラスが**一丸(いちがん)**となって、はたらく。

いみ **❶まるい・まるめる**●丸顔(まるがお)・丸木橋(まるきばし)・丸太(まるた)・真(ま)ん丸(まる)・丸薬(がんやく)　**❷たま**●弾丸(だんがん)・砲丸(ほうがん)　**❸かんぜん・全部(ぜんぶ)**●丸暗記(まるあんき)・丸一年(まるいちねん)・丸損(まるぞん)・丸(まる)のみ・丸見(まるみ)え・丸焼(まるや)け・一丸(いちがん)　**❹人(ひと)や船(ふね)の名(な)まえにつけることば**●牛若丸(うしわかまる)・氷川丸(ひかわまる)

なりたち

人(ひと)が、だいじなものを
かかえているかたち。

しなものをかかえて　かがみこむ
かたちから〈**まるい・まるめる**〉
のいみをあらわした。

となえかた

ノに

かぎまげはねて

てんをうつ

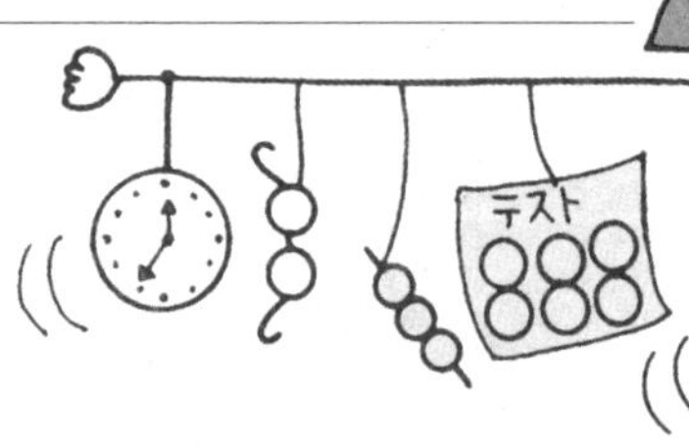

つかいわけ　ちきゅうは**丸(まる)い**。**円(まる)い**テーブルにすわる。

色

色(いろ)の部・6画
□その他型／ノ(ななめぼう)

くん いろ　赤い**色**のマフラー。
顔色がわるい。

おん ショク　**十二色**のクレヨンを買う。
赤・緑・青を光の**三原色**という。

シキ　あの絵は、**色彩**がとてもきれいだ。

いみ **❶いろ・いろどり**● 色紙・色彩・色紙・色素・原色・三原色・赤色・染色・着色・白色・無色　**❷ようす・ありさま**● 顔色(顔色)・特色・物色・暮色・景色

●**特別な読み**…景色

なりたち

こしのまがった　人の
かたちと　つえのかたち。

つえをついた　年よりが、ながい
みちのりを　あるくと、からだが
ほてって　あかくなる。それで、
〈いろ・いろどり〉などのいみに
なった。

となえかた

クをかいて
かぎ
たて
よこで
たてまげはねる

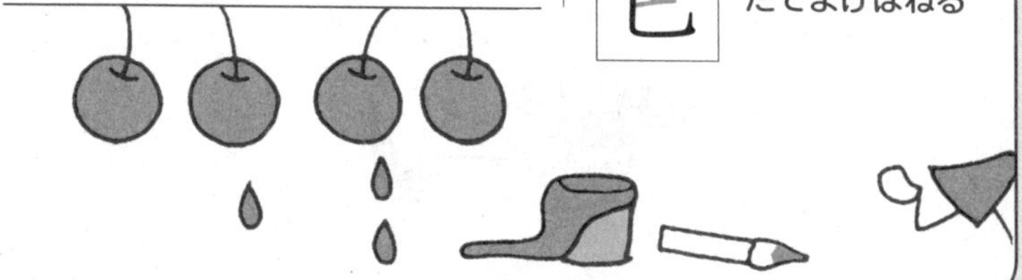

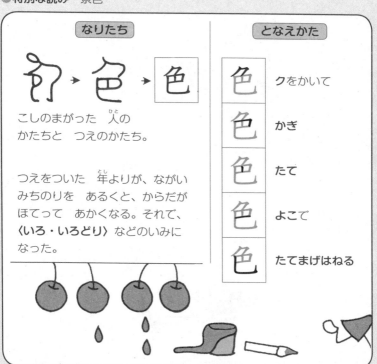

クイズ　□人十色　□に入るのは？　①十　②百　③千

夏

夂（なつあし）の部・10画
上下型／一（よこぼう）

くん なつ　真夏（まなつ）の太陽（たいよう）はまぶしい。
夏休（なつやす）みがたのしみだ。

おん カ　若葉（わかば）のみどりがうつくしい初夏（しょか）。
（ゲ）　夏至（げし）は、一年中（いちねんじゅう）で昼間（ひるま）の時間（じかん）がいちばん長（なが）い日（ひ）。

いみ なつ（四季（しき）のひとつ・六（ろく）、七（しち）、八（はち）の三（さん）か月（げつ））●夏草（なつくさ）・夏鳥（なつどり）・夏（なつ）ばて・夏祭（なつまつ）り・夏休（なつやす）み・夏山（なつやま）・真夏（まなつ）・夏季（かき）・夏期（かき）・夏至（げし）・初夏（しょか）・盛夏（せいか）・晩夏（ばんか）・立夏（りっか）

なりたち

おめんをつけて
おどるかたち。

おめんをつけて　おどる
おまつりの季節（きせつ）ということから
〈なつ〉のいみをあらわした。

となえかた

一（いち）
ノ
目（め）
クに
右（みぎ）ばらい

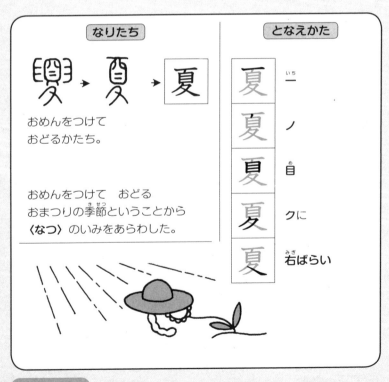

きを　つけよう　夏の「目」を「日」と　しない。

首

首（くび）の部（ぶ）・9画（かく）
□その他型（たがた）／丶（てん）

くん くび　ジュズダマの実（み）で**首飾り**（くびかざ）をつくってあそぶ。
おん シュ　東京（とうきょう）は日本（にっぽん）の**首都**（しゅと）。
友（とも）だちと**百人一首**（ひゃくにんいっしゅ）であそんだ。

いみ **❶くび・あたま**●首飾り（くびかざ）・首筋（くびすじ）・首輪（くびわ）・船首（せんしゅ）　**❷かしら・団体（だんたい）の長（ちょう）**●首相（しゅしょう）・首長（しゅちょう）・首脳（しゅのう）・首班（しゅはん）・首領（しゅりょう）・元首（げんしゅ）・党首（とうしゅ）　**❸はじめ・第一番（だいいちばん）**●首位（しゅい）・首席（しゅせき）・首尾一貫（しゅびいっかん）　**❹かなめ・中心（ちゅうしん）**●首都（しゅと）・首府（しゅふ）　**❺和歌（わか）などをかぞえることば**●百人一首（ひゃくにんいっしゅ）

なりたち

かおと、あたまの毛（け）のかたち。

くびから　上（うえ）のことを　あらわし
〈くび・あたま〉のいみになった。

となえかた

首	ソ
首	一（いち）
首	ノ
首	目（め）

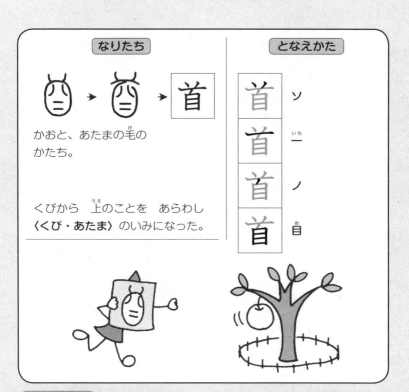

クイズ　「**首を長くする**（くび・なが）」の　いみは？　①待（ま）つ　②にげる　③会（あ）う

頭

頁（おおがい）の部・16画
左右型／一（よこぼう）

くん あたま　**頭**のはたらきがいい人。
（かしら）　名まえの**頭文字**をローマ字で書く。

おん トウ　**先頭**に立って、山をのぼった。
ズ　工事中につき、**頭上**に注意してください。
（ト）　いろいろな**音頭**の曲に合わせて、盆おどりをした。

いみ **❶あたま**●頭文字・頭上・頭痛・頭脳・頭部　**❷てっぺん・さきのほう**●山頭・先頭・年頭　**❸上に立つ人**●頭首・音頭・教頭・船頭・筆頭　**❹その近く・あたり**●駅頭・街頭・店頭

なりたち

豆

ほそながい　あしの
ついた、うつわのかたち。

と

頁

人の　あたまのかたち。

で

頭

人の　あたまが、この　うつわの
ように、からだの　いちばん上に
あることから、**〈あたま・さきのほう〉**のいみになった。

となえかた

頭	一　口
頭	ソ　一
頭	一　ノ　目　八

クイズ　「**頭をかかえる**」の　いみは?　①よろこぶ　②いばる　③こまる

顔

頁（おおがい）の部・18画(かく)

左右型(さゆうがた)／丶（てん）

くん かお　きょうは、とても**顔色**(かおいろ)がよい。
山田(やまだ)くんは、校内(こうない)でいちばん**顔**(かお)がひろい。

おん ガン　朝(あさ)だけでなく、ねるまえにも**洗顔**(せんがん)しよう。

いみ ❶かお・かおつき ● 顔色(かおいろ)（顔色(がんしょく)）・顔立(かおだ)ち・顔付(かおつ)き・素顔(すがお)・横顔(よこがお)・顔面(がんめん)・温顔(おんがん)・紅顔(こうがん)・厚顔(こうがん)・洗顔(せんがん)・童顔(どうがん)・拝顔(はいがん)・美顔術(びがんじゅつ)・笑顔(えがお)　❷よく知(し)られている・勢力(せいりょく)がある ● 顔役(かおやく)・新顔(しんがお)

● 特別(とくべつ)な読(よ)み…（笑顔(えがお)）

なりたち

彦

おしゃれをしている
かたち。

と

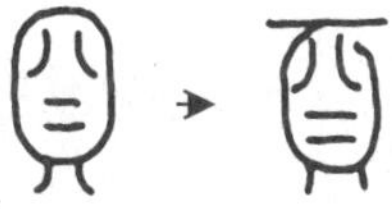

頁

人(ひと)の　あたまのかたち。

で

顔

せいじんしきの　とき、
いちにんまえに　なった
しるしとして、ひたいや　ほおに、
えや　もようをかいて、けしょう
をした。そのぶぶんを〈かお〉と
いった。

となえかた

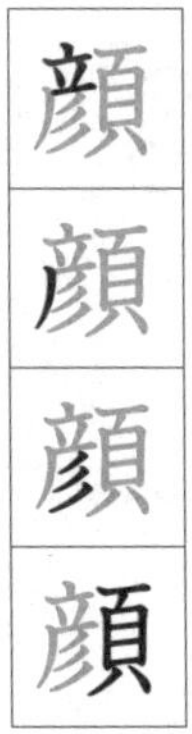

てん　一(いち)
ソ　一(いち)

ノをかいて

ノがみっつで

一(いち)　ノ　目(め)　八(は)

きをつけよう　顔の「彡」を「ミ」と　しない。

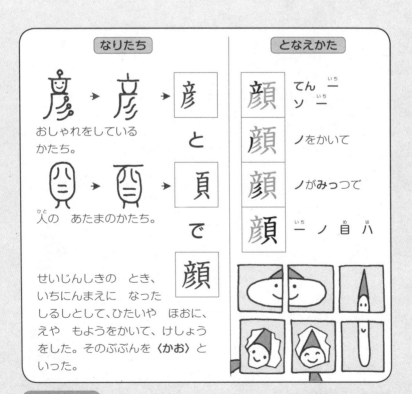

直

目（め）の部・8画

□その他型／一（よこぼう）

くん ただちに　**直ちに**出発する。

なおす　時計の針を、正しい位置に**直す**。

なおる　自転車のパンクが**直る**。

おん チョク　**直接**、家にかえる。

ジキ　**正直**な子どもたち。

いみ ❶**心がただしい**●実直・正直・率直　❷**まっすぐ**●直射・直上・直進・直線・直立・直流・直角・直球・直行　❸**じかに・すぐに**●直伝・直筆・直後・直接・直前・直通・直訳・直感・直系・直径

なりたち

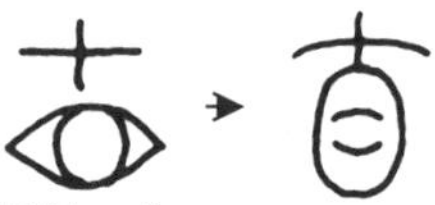

直

十人の目で　みること。

と

乚

あちこち　にげまわる　しるし。

で

直

にげかくれしても　大ぜいの目で　みれば、わるいことが　できない　ということから〈**心がただしい・まっすぐ**〉のいみをあらわす。

となえかた

直　十の

直　目に

直　たてまげる

つかいわけ　かん字のまちがいを**直す**。足のきずを**治す**。

親

見（みる）の部・16画

左右型／丶（てん）

くん おや　**親指**をけがしているので、右手が使えない。

したしい　**親しい**友だちと旅にでる。

したしむ　山野を歩き、自然に**親しむ**。

おん シン　**両親**とも体がじょうぶです。

人には**親切**にしよう。

いみ ❶**おや・父母**● 親方・親子・親孝行・親潮・親不孝・親分・親指・父親・母親・両親　❷**みうち・みより**● 親族・親等・親類・近親・肉親　❸**したしい・なかがよい**● 親愛・親近感・親交・親切・親密・親友　❹**じかに**● 親書・親展

なりたち

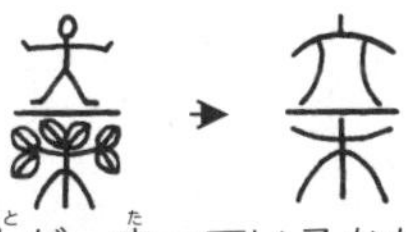

→ 亲

人が　立っているかたちと木のかたち。

と

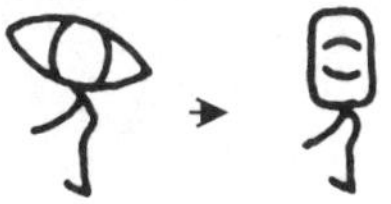

→ 見

人の上に　大きな目のついたかたちで、みること。

で

親

立っている木の　よこで、いつもちかくから　みてくれる人のことから**〈おや・したしい〉**のいみになった。

となえかた

てん　一

ソ　一で

木をかいて

右に目をかき

ひとのあし

きを　つけよう　親の「見」を「貝」と　しない。

古

口(くち)の部・5画

□その他型／一(よこぼう)

くん ふるい　鉄道記念館で、**古い**機関車をみた。

ふるす　**着古し**たシャツをぞうきんとしてつかう。

おん コ　**古代**の人びとのくらしを調べる。

いみ むかしの・ふるい・ふるびた ● 古着・古傷・古本・考古学・古語・古今・古参・古式・古書・古代・古典・古風・古墳・古文・古来・千古・太古・中古・復古

なりたち

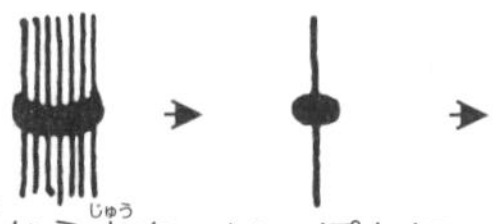

十

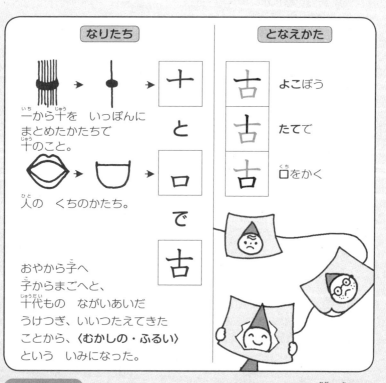

一から十を　いっぽんに
まとめたかたちで
十のこと。

と

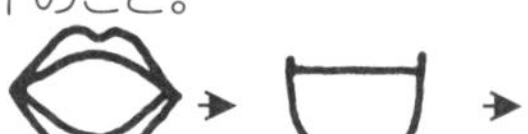

口

人の　くちのかたち。

で

古

おやから子へ
子からまごへと、
十代もの　ながいあいだ
うけつぎ、いいつたえてきた
ことから、**〈むかしの・ふるい〉**
という　いみになった。

となえかた

古　よこぼう

古　たてで

古　口をかく

きを　つけよう　古の「十」のよこぼうは、「口」のよこはばより　長く書く。

自

自（みずから）の部（ぶ）・6画（かく）

その他型（たがた）／ノ（ななめぼう）

くん みずから　毎朝（まいあさ）、**自ら**（みずか）進（すす）んでマラソンをすることにした。

おん ジ　大空（おおぞら）を**自由**（じゆう）にとびまわる、ゆめをみた。

シ　旅（たび）にでて、**大自然**（だいしぜん）の中（なか）で深呼吸（しんこきゅう）をする。

いみ ❶じぶん ● 自家（じか）・自覚（じかく）・自画自賛（じがじさん）・自活（じかつ）・自己（じこ）・自作（じさく）・自主（じしゅ）・自習（じしゅう）・自身（じしん）・自信（じしん）・自他（じた）・自宅（じたく）・自転（じてん）・自転車（じてんしゃ）・自分（じぶん）・自力（じりき）・自立（じりつ）・独自（どくじ）　❷ひとりでに・しぜんに ● 自在（じざい）・自生（じせい）・自然（しぜん）・自適（じてき）・自動（じどう）・自明（じめい）・自由（じゆう）

なりたち

はなを　まえからみた
かたち。

じぶんの　はなを　ゆびさして
「わたし」と　いうところから
〈じぶん〉のいみになった。

となえかた

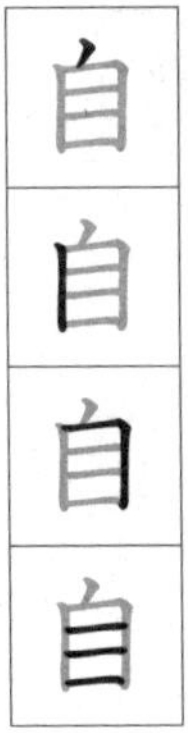

ノに

たて

かぎで

よこ3ぼん

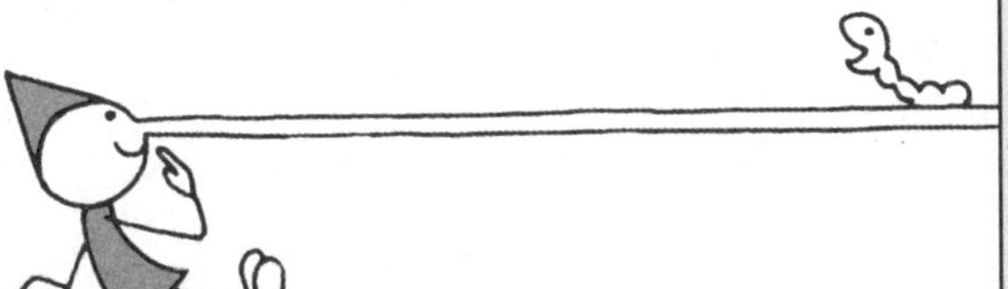

さんこう　自の　はんたいの　いみの字（じ）…他

聞

耳（みみ）の部・14画

□その他型／丨（たてぼう）

くん きく　おぼうさんのお話をよく**聞く**。

きこえる　除夜のかねが**聞こえる**。

おん ブン　**新聞**は、毎日のニュースを知らせてくれる。

（モン）　**前代未聞**の話だと、おどろかされた。

いみ **❶きく・きこえる**●聞き手・聞き耳・立ち聞き・人聞き・見聞・前代未聞・伝聞　**❷ひょうばん・うわさ**●外聞・旧聞・醜聞・新聞・風聞

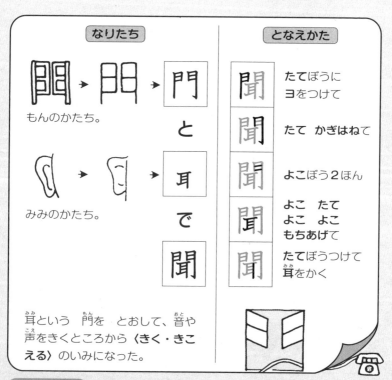

なりたち

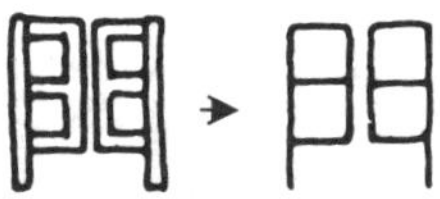

門

もんのかたち。

と

耳

みみのかたち。

で

聞

耳という　門を　とおして、音や声をきくところから**〈きく・きこえる〉**のいみになった。

となえかた

聞	**たて**ぼうに **ヨ**をつけて
聞	**たて　かぎはね**て
聞	**よこ**ぼう**2**ほん
聞	**よこ　たて** **よこ　よこ** **もちあげ**て
聞	**たて**ぼうつけて **耳**をかく

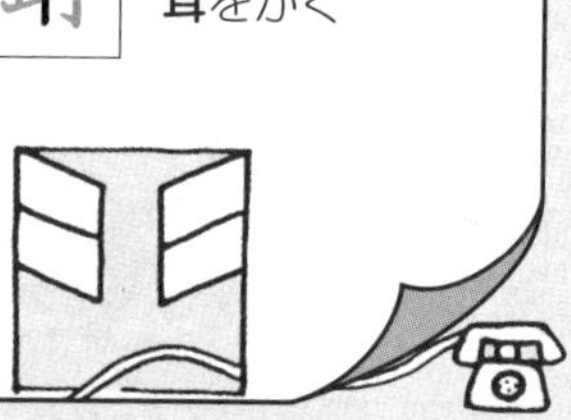

クイズ　**百聞は一□にしかず**　□に入るのは？　①心　②見　③口

言

言(げん)の部・7画
上下型／丶(てん)

くん **いう**　うちの犬は、なかなか**言う**ことをきかない。
こと　正しい**言葉遣い**で、きちんとあいさつする。

おん **ゲン**　意見のある人は**発言**してください。
ゴン　駅の**伝言板**にメッセージを書く。

いみ **いう・ことばにあらわす・ことば**● 言い方・言い分・言い回し・言葉・寝言・言語・言動・言明・言論・宣言・他言・伝言板・発言・方言・名言・予言

なりたち

針は、心とおなじ音で心のこと。それと口のかたち。

心で　おもうことを　口からだすことで〈いう・ことば〉のいみをあらわす。

となえかた

てん　一で

よこぼう2ほん

口をかく

クイズ　言わぬが□　□に入るのは？　①草　②木　③花

計

言(げん)の部・9画
左右型／丶(てん)

くん **はかる**　はかりで、ものの重さを**計る**。
はからう　ぼくののぞみがかなうように**計らっ**てくれた。
おん **ケイ**　家の**設計**をする。
一年の**計**は元旦にあり。

いみ **❶かぞえる・かんじょう**●計算・計上・会計・家計・合計・小計・総計・統計　**❷長さや重さなどをはかる・はかるための器具**●計器・計量・温度計・体温計・時計　**❸相談する・はからう・みつもる**●計画・計略・設計

●**特別な読み**…時計

なりたち

言

針は、心とおなじ音で心のこと。それと口で、おもうことをいうこと。

と

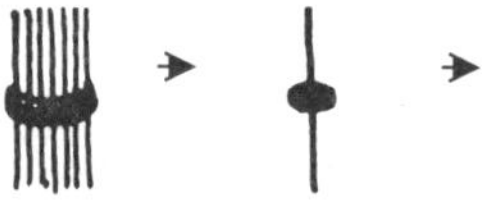

十

ものをあつめて、ひとつにまとめたかたち。

で

計

ばらばらのものをあつめて、そのかずをいうことから**〈かぞえる・はかる〉**のいみになった。

となえかた

計　**ごんべん**に
計　**よこ**ぼう かいたら
計　**たて**おろす

つかいわけ　タイムを**計る**。重さを**量る**。長さを**測る**。

記

言（げん）の部・10画
左右型／丶（てん）

くん しるす　計画をノートに**記**す。
ことばを心に**記**す。

おん キ　夏休みの**絵日記**をつける。
郵便局で**記念切手**を買う。
記事は正確に書くことがだいじだ。

いみ ❶**かきしるすこと・かきつけ**●記者・記入・記名・記録・速記・筆記・明記　❷**おぼえること**●記憶・記念・暗記　❸**事実をそのままのべたもの**●記事・速記・伝記・日記　❹**しるし**●記号・記章

なりたち

言

針は、心とおなじ音で心のこと。それと口で、おもうことをいうこと。

と

己

ひざをまげた　かたち。

で

記

ひざまずいて、人のいったことをかきとっている　すがたから〈かきしるす〉のいみになった。

となえかた

記	**ごんべん**に
記	**コ**の字をかいて
記	**たてまげはねる**

きを　つけよう　「**記**す」は、「記るす」と　しない。

話

言(げん)の部(ぶ)・13画(かく)
左右型(さゆうがた)／丶(てん)

くん **はなす**　きょうのできごとを、かんたんに**話**(はな)**す**。
はなし　おじいさんの**昔話**(むかしばなし)は、おもしろい。
おん **ワ**　アンデルセンの**童話**(どうわ)を読(よ)んだ。
友人(ゆうじん)と**会話**(かいわ)がはずむ。

いみ **❶はなす・しゃべる**● 話(はな)し言葉(ことば)・長話(ながばなし)・話術(わじゅつ)・話題(わだい)・話法(わほう)・会話(かいわ)・講話(こうわ)・対話(たいわ)・談話(だんわ)・通話(つうわ)・電話(でんわ)　**❷ものがたり**● 昔話(むかしばなし)・神話(しんわ)・説話(せつわ)・童話(どうわ)・民話(みんわ)・夜話(やわ)

なりたち

言

針(しん)は、心(しん)とおなじ音(おん)で心(こころ)のこと。それと口(くち)で、おもうことをいうこと。

と

舌

「した」と　くちびるのかたち。

で

話

心(こころ)に　おもっていることを、口(くち)にだして　はなすことから**〈はなす・しゃべる〉**のいみをあらわす。

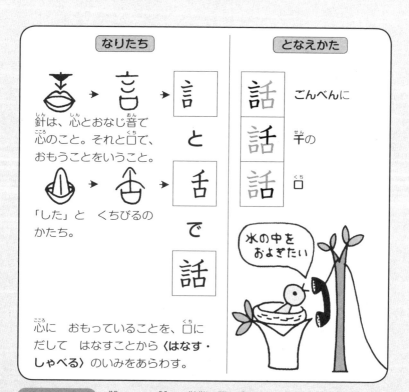

となえかた

話	ごんべんに
話	千(せん)の
話	口(くち)

きを　つけよう **話**(はな)**し**ながら歩(ある)く。先生(せんせい)の**話**(はなし)を聞(き)く。

語

言(げん)の部・14画
左右型／丶(てん)

くん かたる　外国旅行の思い出を**語る**。
人の**語り口**をまねる。
かたらう　夕食をたべながら、家族で**語らう**。

おん ゴ　授業中の**私語**は、つつしみましょう。

いみ ❶**かたる・はなしをする** ● 語り口・語り手・物語・語調・私語
❷**ことば** ● 語意・語学・語句・語形・語尾・外国語・共通語・敬語・口語・日本語・フランス語・文語

●**送りがなに注意**…「物語」は、「物語り」とは書かない。

なりたち

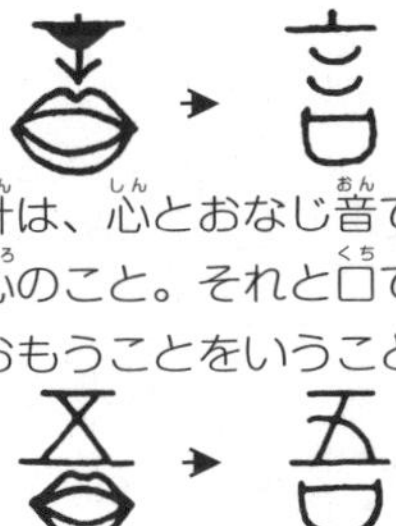

言

針は、心とおなじ音で心のこと。それと口で、おもうことをいうこと。

と

吾

まじわるかたちと口のかたち。

で

語

おたがいに、口でことばをかわしあうことから**〈かたる・ことば〉**のいみになった。

となえかた

語	ごんべんに
語	五
語	口とかく

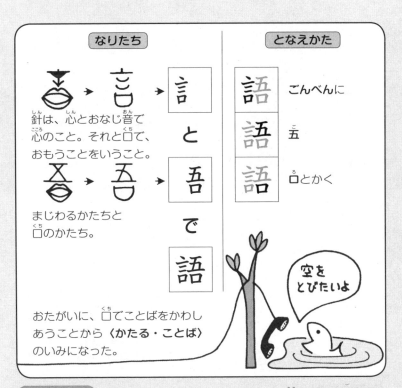

きを　つけよう　語の「五」の　ななめの　たてぼうは、上に　つきでない。

読

言（げん）の部・14画
左右型／㇏（てん）

くん よむ　おもしろい童話をいっきに**読む**。
おん ドク　自作の詩を**朗読**する。
　　トク　**文章読本**で勉強して、表現力をみがく。
　　トウ　文章に**句読点**をつけるとわかりやすい。

いみ **よむ・声にだしてよんだり、意味をしったりする**●読み手・読み物・読者・読書・読心術・読破・読本・愛読・音読・句読点・講読・熟読・精読・多読・通読・必読・黙読・朗読・読経
●**特別な読み**…（読経）

なりたち

→ 言

針は、心とおなじ音で
心のこと。それと口で、
おもうことをいうこと。

と

→ 売

出（りゃくしたかたち）と
あみと　貝のかたち。
あみと　貝は買うこと。
買ってきたものが出て
いくことで、売ること。

で

読

ものを売るとき、声にちょうしを
つけて　きゃくをよぶので〈**声にだしてよむ**〉のいみになった。

となえかた

読	ごんべんに
読	よこ　たて よこで
読	ワに ひとのあし

きを　つけよう　読の「儿」を「ル」と　しない。

友

又（また）の部（ぶ）・4画（かく）

□その他型（たがた）／一（よこぼう）

くん **とも**　たくさんのよい**友**（とも）にめぐまれている。

おん **ユウ**　たんじょう日（び）に、**親友**（しんゆう）のももちゃんを家（いえ）によんだ。

いみ **❶とも・なかま**●友軍（ゆうぐん）・友人（ゆうじん）・悪友（あくゆう）・学友（がくゆう）・旧友（きゅうゆう）・級友（きゅうゆう）・親友（しんゆう）・良友（りょうゆう）・友達（ともだち）　**❷なかがよい・ともとして、親（した）しむ**●友愛（ゆうあい）・友好（ゆうこう）・友情（ゆうじょう）・交友（こうゆう）

●**特別（とくべつ）な読（よ）み**…友達（ともだち）

なりたち

ふたりのかた手（て）を
よこから　みたかたち。

ふたりの　人（ひと）が　手（て）をとりあって
たすけあったり、あくしゅしたり
することから**〈とも・なかま〉**の
いみをあらわす。

となえかた

よこぼうに

ノをつけて

かなの**フ**
かいたら

右（みぎ）ばらい

きを　つけよう　**友**と　にている字（じ）…**反**

公

八(はち)の部(ぶ)・4画(かく)
上下型(じょうげがた)／ノ(ななめぼう)

くん（おおやけ）　ついに事件(じけん)が**公**(おおやけ)になった。
おん　コウ　**公園**(こうえん)へいってあそぶ。
にんぎょう劇(げき)の**公演**(こうえん)をみる。

いみ ❶**おおやけ・国(くに)や役所(やくしょ)につながりのあること**●公園(こうえん)・公館(こうかん)・公式(こうしき)・公認(こうにん)・公文書(こうぶんしょ)・公務(こうむ)・公用(こうよう)・公立(こうりつ) ❷**正(ただ)しく、かたよらない**●公正(こうせい)・公転(こうてん)・公平(こうへい)・公明(こうめい) ❸**よのなか・いっぱん**●公演(こうえん)・公開(こうかい)・公共(こうきょう)・公告(こうこく)・公示(こうじ)・公然(こうぜん)・公表(こうひょう)・公布(こうふ)・公約(こうやく)

なりたち

八

りょう手(て)で　おしのけて
いるかたち。

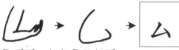

と

ム

うでで　かかえこんで
いるかたち。

で

公

うででかかえこみ、ひとりじめ
するのを、おしのけることから
みんなに関係(かんけい)のあるものにする
〈おおやけ〉のいみをあらわす。

となえかた

公　すうじの**八**(はち)に

公　かたかなの**ム**
（つける）

さんこう　**公**の　はんたいの　いみの字(じ)…**私**

書

日（ひらび）の部・10画

上下型／一（よこぼう）

くん かく　友だちに手紙を**書く**。

おん ショ　読**書**のたのしいひととき。

読みやすく、うつくしい**書体**。

いみ **❶もじをかく・しるす**● 書き方・書き手・書記・書写・書体・書道・書風・書法・楷書・行書　**❷かきつけ・かいたもの**● 書留・書き物・書簡・書状・書面・書類・返書・領収書　**❸ほん**● 書庫・書店・書房・書名・書物・愛読書・辞書・読書

●**送りがなに注意**…「書留」は、「書き留め」とは書かない。

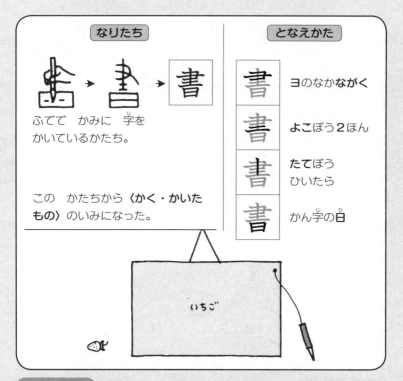

なりたち

ふでで　かみに　字を
かいているかたち。

この　かたちから **〈かく・かいたもの〉** のいみになった。

となえかた

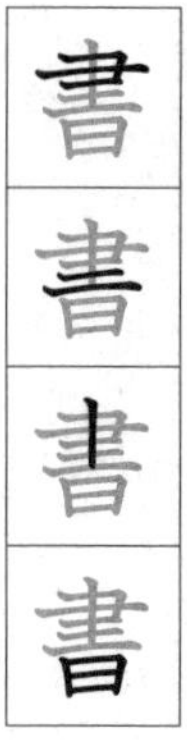

ヨのなか**ながく**

よこぼう **2** ほん

たてぼう
ひいたら

かん字の**日**

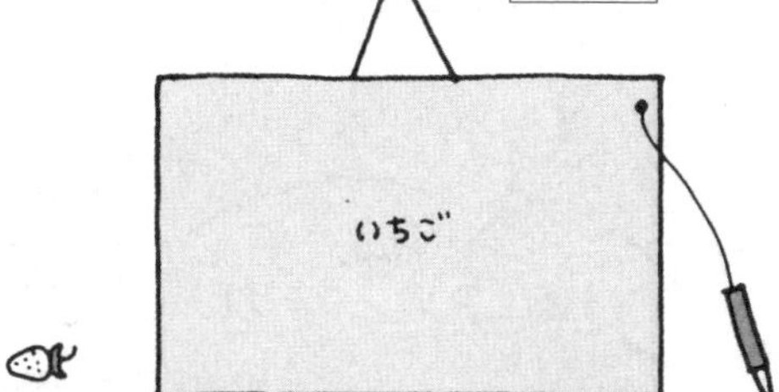

きを　つけよう　書の「聿」を「聿」と　しない。

寺

寸(すん)の部(ぶ)・6画(かく)
上下型(じょうげがた)／一(よこぼう)

くん てら　お寺(てら)のおぼうさんがきた。
山寺(やまてら)のおしょうさん。

おん ジ　寺院(じいん)のかねがなりひびく。
京都(きょうと)や奈良(なら)には、歴史(れきし)のある古寺(こじ)が多(おお)い。

いみ **てら（ほとけの教(おし)えをまなぶ人(ひと)が、しゅぎょうをしたり、しんだ人(ひと)をまつったりするところ）** ● 寺子屋(てらこや)・山寺(やまてら)・寺院(じいん)・寺社(じしゃ)・寺塔(じとう)・国分寺(こくぶんじ)・古寺(こじ)・社寺(しゃじ)

なりたち

手(て)あしをうごかして
はたらくこと。

人(ひと)があつまって仕事(しごと)をするところ
のことから、役所(やくしょ)のいみになり、
そこに　おぼうさんをとめたこと
から〈てら〉のいみになった。

となえかた

よこ　たて
よこで土(つち)をかき

よこ

たてはねて

チョンつける

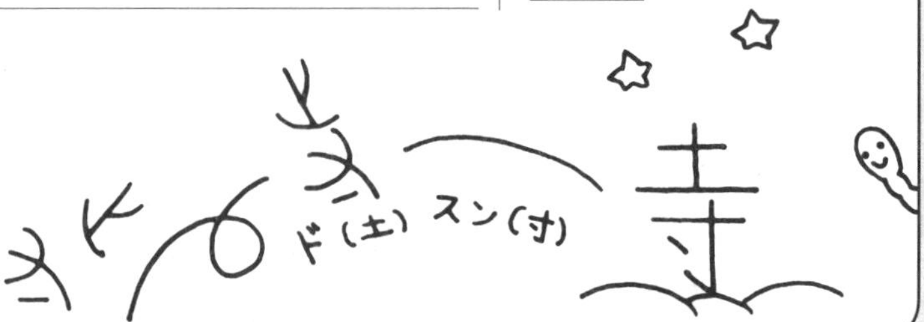

きを　つけよう　寺の「寸」の「丶」を　わすれずに　書(か)く。

教

攵（のぶん）の部・11画

左右型／一（よこぼう）

くん おしえる　母さんにあやまる方法をそっと**教える**。

おそわる　兄にかけ算を**教わる**。

おん キョウ　先生が**教室**へ入っていく。

毎週日曜日に**教会**へいく。

ＰＴＡとは、保護者と**教師**の会のことだ。

いみ ❶**おしえる・おしえ**● 教育・教育者・教員・教科・教官・教訓・教師・教室・教授・教職・教頭・教養　❷**宗教のこと・神仏のおしえ**● 教会・教祖・教徒・回教・キリスト教・宗教・布教・仏教

なりたち

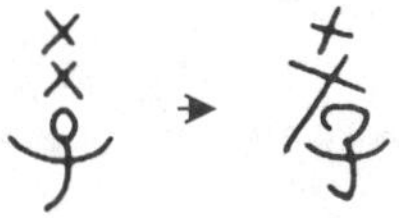

孝

まじわる　しるしと子どものかたち。

と

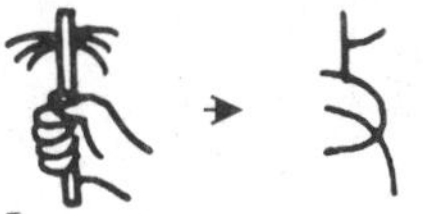

攵

手に　むちをもったかたちで、たたくこと。

で

教

むかし、おとなと子どもが　まじわって、おとなが　むちでたたくようにして、子どもにきびしく　おしえたことから〈**おしえる**〉のいみをあらわした。

となえかた

よこ　たて
よこで

ノをかいて

子をつけ

ノ　一で

左右にはらう

きを　つけよう　**教**と　にている字…**数**

数

文(のぶん)の部・13画
左右型／丶(てん)

くん かず　花びらの**数**をしらべる。
数数のたのしい思い出がある。
かぞえる　**数えきれない**ほど本がふえた。
おん スウ　5は**算用数字**、五は**漢数字**。
(ス)　「人数」は、「**人数**」という読みかたもある。

いみ ❶**かぞえる・かず** ●数数・数学・数字・数式・数量・回数・奇数・偶数・計数・算数・点数・人数(人数)・無数・数珠　❷**いくつかの・わずかの** ●数回・数奇・数日・数人・数年・少数
●**特別な読み**…(数珠・数奇屋・数寄屋)

なりたち

しょくぶつのせんいと女の人のかたち。

と

手に　むちをもっているかたちで、たたくこと。

で

数

むかしは　女の人が、かたいせんいを　なんども　なんども　ぼうでたたき、やわらかくして　ぬのを　おったところから**〈かぞえる・かず〉**のいみをあらわした。

となえかた

数　ソ　よこ　たてで　左　右
数　く　ノ　一
数　ノ　一で
数　左右にはらう

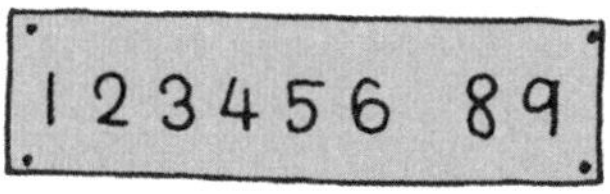

きを　つけよう　数の「攵」を「欠」と　しない。

走

走（はしる）の部(ぶ)・7画(かく)

□その他型(たがた)／一（よこぼう）

くん はしる　子(こ)どもがいっせいに**走(はし)り**だした。
町(まち)の中(なか)を国道(こくどう)が**走(はし)っ**ている。

おん ソウ　山(やま)のふもとまで**競走(きょうそう)**しよう。
犯人(はんにん)は、いちもくさんに**逃走(とうそう)**した。

いみ ❶**はしる・かける**● 走(はし)り書(が)き・走(はし)り高跳(たかと)び・走(はし)り幅跳(はばと)び・走行距離(そうこうきょり)・走者(そうしゃ)・走破(そうは)・走法(そうほう)・快走(かいそう)・滑走(かっそう)・競走(きょうそう)・疾走(しっそう)・助走(じょそう)・独走(どくそう)・奔走(ほんそう)・力走(りきそう)　❷**にげる**● 脱走(だっそう)・逃走(とうそう)・敗走(はいそう)

●**特別(とくべつ)な読(よ)み**…（師走(しわす)）

なりたち

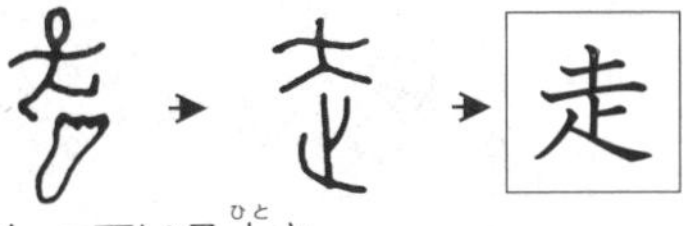

はしっている人(ひと)と
あしのかたち。

手(て)あしをひろげて、大(おお)またで
はしっている人(ひと)のかたちに、
あしをつけて〈**はしる**〉のいみに
なった。

となえかた

よこ

たて

よこで

トをかいて

左(ひだり)によせた
人(ひと)をかく

きを　つけよう　走の「土」を「士」と　しない。

兄

儿(ひとあし)の部(ぶ)・5画(かく)

上下型(じょうげがた)／丨(たてぼう)

くん あに　兄(あに)と二人(ふたり)きりで旅(たび)をした。

おん キョウ　うちはすぐ**兄弟(きょうだい)**げんかになる。

(ケイ)　**長兄(ちょうけい)**は、もう高校生(こうこうせい)です。

いみ **あに・年上(としうえ)の男(おとこ)のきょうだい・男(おとこ)の人(ひと)をよぶことば** ●兄上(あにうえ)・兄貴(あにき)・兄弟子(あにでし)・兄弟(きょうだい)(兄弟(けいてい))・貴兄(きけい)・義兄(ぎけい)・次兄(じけい)・実兄(じっけい)・諸兄(しょけい)・大兄(たいけい)・長兄(ちょうけい)・父兄(ふけい)・兄(にい)さん

●**特別(とくべつ)な読(よ)み**…兄(にい)さん

なりたち

口

口(くち)のかたち。

と

儿

あるいている　かたち。

で

兄

さきにうまれて　あるけるようになり、年下(としした)の人(ひと)に　口(くち)でさしずをする人(ひと)のことから **〈あに〉** のいみをあらわす。

となえかた

兄	ひらたい口(くち)に
兄	**ひとのあし**

きを　つけよう　**兄**の「儿」を「ル」と　しない。

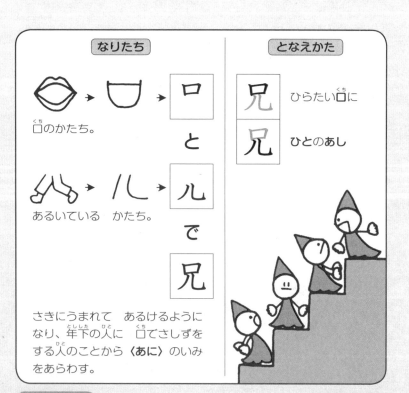

光

儿(ひとあし)の部・6画

上下型／丨(たてぼう)

くん **ひかる** 作品のできばえが**光る**。

ひかり 月の**光**をたよりに歩く。

おん **コウ** まどから明るい**日光**がさしこむ。

いみ **❶ひかる・てらす・ひかり** ● 光学・光源・光合成・光線・光沢・光明・月光・電光・日光・陽光 **❷ありさま・けしき** ● 光景・観光・風光 **❸めいよ・ほまれ** ● 光栄・栄光 **❹じかん** ● 光陰・光年

なりたち

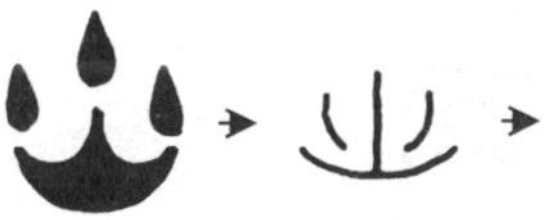

业

火が　もえているかたち。

と

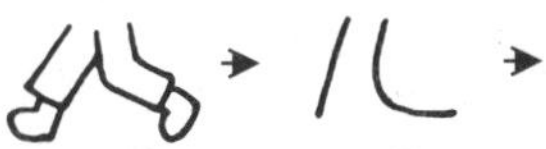

儿

人があるき、うごくこと。

で

光

火の　あかるさが、とおくまで
うごくように　つたわるところから
〈ひかる・てらす〉のいみになった。

となえかた

光 **たて**ぼうに

光 **ソ**をかいて

光 **よこ**ぼう

光 **ノ**をかき

光 **たてまげはねる**

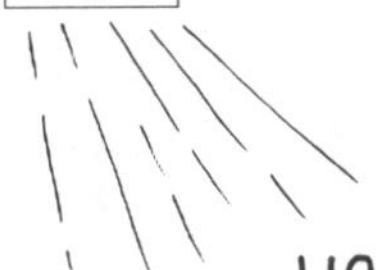

112ページへ

きを　つけよう お日さまの**光**。**光り**かがやく。

元

儿（ひとあし）の部・4画

上下型／一（よこぼう）

くん もと　いすを**元通り**にかたづけた。
店をひらくには、**元手**が少ない。

おん ゲン　**元気**に、たいそうをする。
外国の**元首**が来日する。

ガン　すがすがしい**元日**の朝。
ぼくは、**元来**じょうぶなたちだ。

いみ **❶はじめ・はじまり**●元通り・元日・元祖・元年・元来　**❷もと・ものごとをなりたたせるもの**●元手・元金・元本・元気・元素・根元・次元　**❸かしら**●元凶・元首

なりたち

→ 二

空をあらわす線のうえにてんをつけ、うえのこと。

と

→ 儿

あるくかたちで、人をあらわす。

で

元

人の　いちばん上に　あるものは　あたまであり、人間は　あたまが　大もとだということから**〈もと・はじめ〉**のいみをあらわした。

となえかた

元　かん字の二に

元　**ひとのあし**

クイズ　**元も□もない**　□に入るのは？　①子　②親　③本

帰

巾（はば）の部(ぶ)・10画(かく)
左右型(さゆうがた)／丨（たてぼう）

くん かえる　母(はは)は毎週(まいしゅう)いなかへ**帰(かえ)る**。
かえす　弟(おとうと)を先(さき)に家(いえ)へ**帰す**。

おん キ　あとからあとから、ヨットが**帰港(きこう)**してくる。
あれこれまよって、けっきょく、はじめの考(かんが)えに**帰着(きちゃく)**した。

いみ ❶**かえる・かえす・もどる**●帰京(ききょう)・帰郷(ききょう)・帰航(きこう)・帰港(きこう)・帰国(きこく)・帰省(きせい)・帰宅(きたく)・帰路(きろ)・不帰(ふき)・復帰(ふっき)　❷**おさまる・まとまりがつく**●帰化(きか)・帰結(きけつ)・帰順(きじゅん)・帰属(きぞく)・帰着(きちゃく)

なりたち

みちのかたち。

と

ほうきのかたち。

で

帰

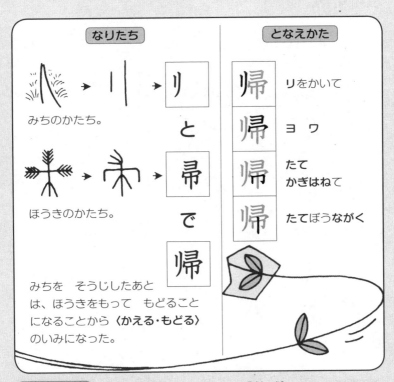

みちを　そうじしたあとは、ほうきをもって　もどることになることから**〈かえる・もどる〉**のいみになった。

となえかた

帰	リをかいて
帰	ヨ　ワ
帰	たて かぎはねて
帰	たてぼうながく

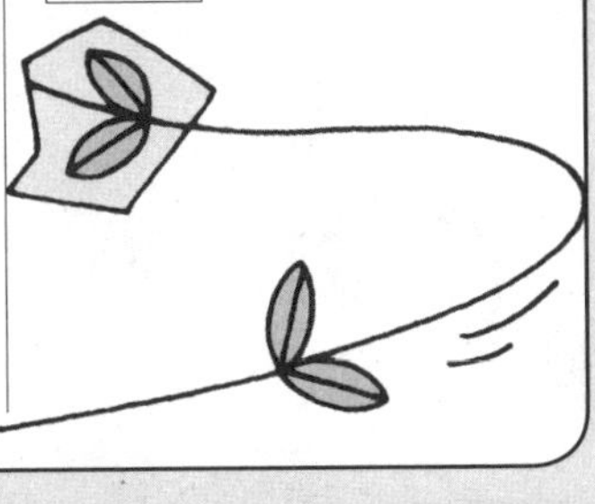

つかいわけ　四時(よじ)に家(いえ)に**帰(かえ)る**。わすれものが手元(てもと)に**返(かえ)る**。

止

止(とめる)の部(ぶ)・4画(かく)
□その他型(たがた)／丨(たてぼう)

くん とまる　鳥(とり)かごの**止(と)まり木(ぎ)**に、文鳥(ぶんちょう)が二羽(にわ)**止(と)まっ**ている。
　　　とめる　山田(やまだ)くんは**止(と)める**のもきかず、教室(きょうしつ)をでていった。

おん シ　小川(おがわ)のそばで**小休止(しょうきゅうし)**した。
　　　　きゅうな雨(あめ)で、試合(しあい)を**中止(ちゅうし)**する。

いみ **❶うごかない・とまる・おしまい**● 止(と)まり木(ぎ)・行(ゆ)き止(ど)まり(行(い)き止(ど)まり)・終止(しゅうし)・静止(せいし)・停止(ていし)　**❷とめる・とどめる**● 止血(しけつ)・禁止(きんし)・制止(せいし)・阻止(そし)・防止(ぼうし)・波止場(はとば)　**❸やめる・やすむ**● 休止(きゅうし)・小休止(しょうきゅうし)・中止(ちゅうし)・廃止(はいし)

●**特別(とくべつ)な読(よ)み**…(波止場(はとば))

なりたち

左(ひだり)あしのかたち。

あしは、ももや　すねのほうから
つづいてきて、さいごに　とまる
ところなので **〈とまる・とめる〉**
のいみになった。

となえかた

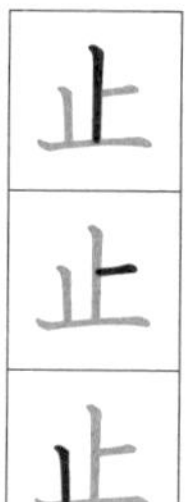

たてぼうかいて
よこ
たて
よこぼう

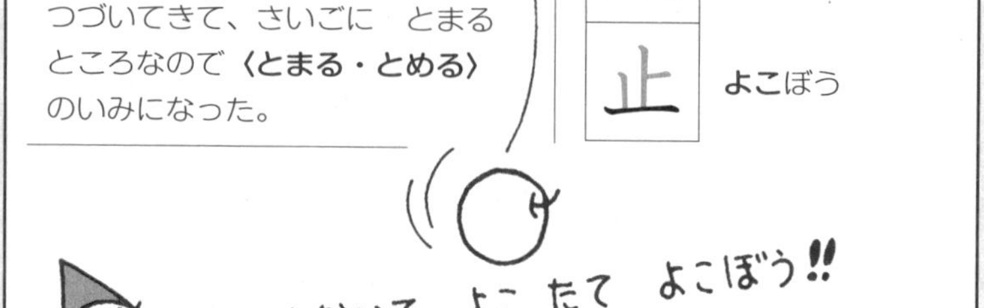

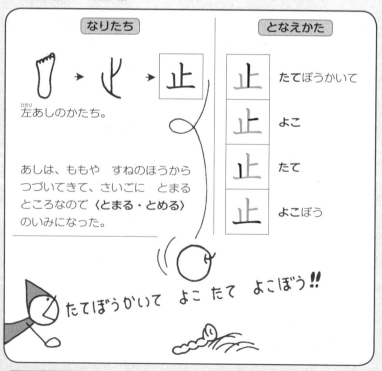

つかいわけ　いきが**止(と)まる**ほどおどろく。コーチの目(め)に**留(と)まる**。

歩

止（とめる）の部・8画
□その他型／丨（たてぼう）

くん **あるく**　牛はゆっくりと**歩く**。
あゆむ　しっかりと**歩む**すがたが、たのもしい。
おん **ホ**　会場は、駅から**徒歩**で五分だ。
（ブ）　**歩合**のわるい仕事をすすんでひきうける。
（フ）　しょうぎの**歩**が、ひとつたりない。

いみ **❶あるく・すすむ**● 歩行・歩調・歩道・競歩・散歩・初歩・徒歩・歩兵　**❷なりゆき**● 進歩・退歩　**❸ぶ・わりあい**● 歩合・日歩

なりたち

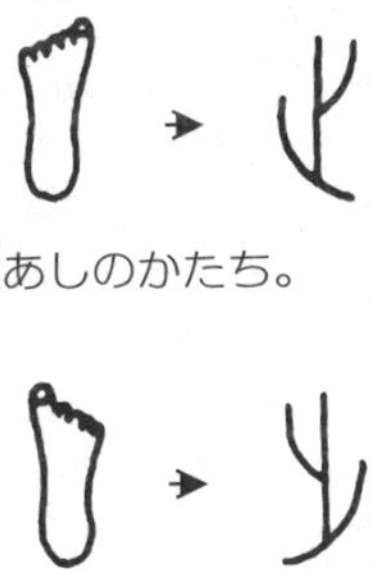

左あしのかたち。

止

と

右あしのかたち。

少

で

歩

左あしと右あしを、たがいちがいにだして　あるくことで〈**あるく**〉のいみをあらわす。

となえかた

歩	たて　よこ　たてで
歩	よこぼうながく
歩	たてはね
歩	ハをかき
歩	ノをながく

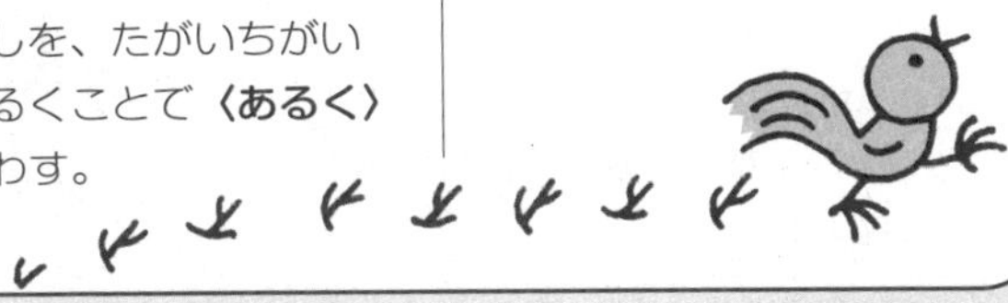

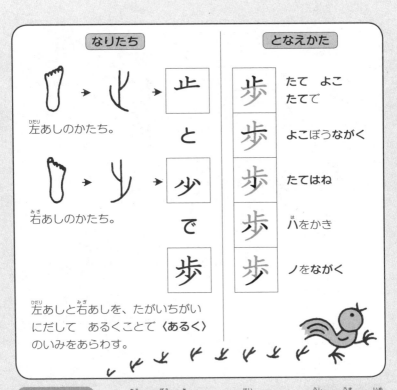

クイズ　□も歩けば棒に当たる　□に入るのは？　①牛　②馬　③犬

後

彳（ぎょう にんべん）の部・9画
左右型／ノ（ななめ ぼう）

くん のち　朗読の**後**、わたしは席にもどった。
うしろ　下級生に**後ろ**からおいぬかれた。
あと　友だちの**後**にならんで、ソフトクリームを買う。
（おくれる）　こんなファッションでは、時代に**後れる**。
おん ゴ　本を**最後**まで読む。
コウ　話の**後半**がたのしかった。

いみ ❶**おくれる・あとからいく・あとに残る**●後進・後家　❷**うしろ**●後ろ姿・後部・後方・後光・前後　❸**のち・あと**●後味・後期・後世・後年・後半・後日・後手・以後・午後・今後・最後・産後・死後・食後

なりたち

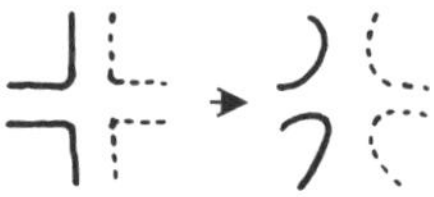

彳

十字路の　左半分の
かたちで、いくこと。

と

夂

ほそい糸と、うしろむきの
あしのかたち。

で

後

うしろむきに道をあるく
のでは、じかんのかかる糸つむぎ
のように、なかなか　すすまない
ことから〈**おくれる・うしろ**〉の
いみになった。

となえかた

後　ぎょうにんべん
（ノ　イとかき）

後　く　ムと
つづけて

後　クに右ばらい

さんこう　**後**の　はんたいの　いみの字…**前**

行

行（ぎょうがまえ）の部・6画
左右型／ノ（ななめぼう）

くん いく　プールに**行く**。　ゆく　**行く手**に山が立ちはだかる。
おこなう　入学式を**行う**。
おん コウ　**急行**は速い。　ギョウ　おみこしの**行列**が通る。
（アン）　あちこちを**行脚**する。

いみ ❶**すすむ・いく・あるく**●行く手（行く手）・行脚・行進・逆行・急行・進行・通行・旅行・行方　❷**おこない・おこなう**●行事・行政・行動・強行・決行・実行・非行　❸**れつ**●行数・行列・改行　❹**みせ**●行員・銀行

●**特別な読み**…（行方）

なりたち

十字路のかたち。

十字路は、人がいろいろなところへむかう　みちなので〈**いく**〉のいみになった。

となえかた

ノ　イとかき（ぎょうにんべん）

よこぼう２ほん

たてはねる

きを　つけよう　「行う」は、「行なう」と　しない。

通

⻌（しんにょう）の部・10画
その他型／一（よこぼう）

くん とおる　人がたくさん**通る**道でかえろう。
とおす　はりに糸を**通す**のはにがてだ。
かよう　学校に休まず**通う**。
二人の心が**通い合う**。

おん ツウ　**交通安全**は、信号をまもることから。
（ツ）　母といっしょにおばさんの**通夜**にいく。

いみ ❶とおり・つらぬいている道 ● 通り道・並木通り・通路　❷とおる・とおす・つきぬける ● 通過・通行・通風・通夜・開通・不通　❸かよう・行き来する ● 通学・通勤・通信・通帳・通話・交通　❹ゆきわたる ● 通貨・通常・通説・通知・通報・通用・通例

なりたち

→ 甬

人が　いたに　くぎを
つきとおしているかたち。

と

→ ⻌

みちと　あしのかたちで、
いくこと。

で

通

いたに　くぎをとおしたように、
どうろが　どこまでも　つづいて
いることから〈とおり・とおる〉
のいみをあらわす。

となえかた

マをかいて
たて かぎはねて
よこ2ほん
たてぼういれて
しんにょう
つける

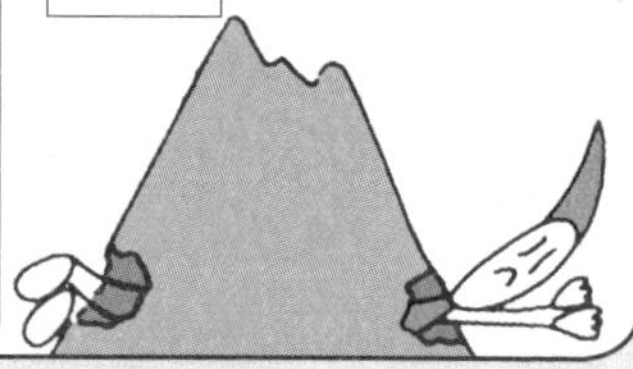

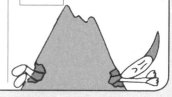

きを　つけよう　「通う」は、「通よう」と　しない。

道

辶（しんにょう）の部（ぶ）・12画（かく）
□その他型（たがた）／丶（てん）

くん みち　回り道（まわりみち）をしてかえる。
筋道（すじみち）をわきまえて話す（はなす）人（ひと）。

おん ドウ　水道管（すいどうかん）がこおりついて、水（みず）がでない。
（トウ）　神道（しんとう）は、日本古来（にっぽんこらい）の宗教（しゅうきょう）だ。

いみ ❶みち・人（ひと）や車（くるま）の通る（とおる）ところ ● 道草（みちくさ）・道順（みちじゅん）・道連れ（みちづれ）・回り道（まわりみち）・山道（やまみち）・道路（どうろ）・国道（こくどう）・水道（すいどう） ❷人（ひと）として守ら（まもら）なければならないこと ● 筋道（すじみち）・道徳（どうとく）・道理（どうり）・正道（せいどう） ❸せんもんの学問（がくもん）やわざ ● 道場（どうじょう）・剣道（けんどう）・茶道（さどう）・書道（しょどう） ❹「北海道（ほっかいどう）」のこと ● 道庁（どうちょう）

なりたち

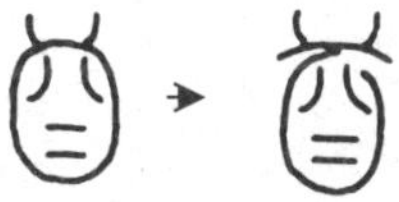

首

人（ひと）の　かおのかたち。

と

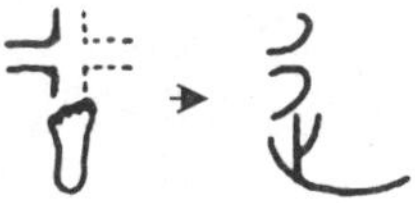

辶

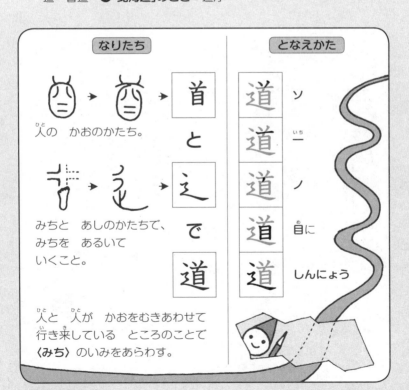

みちと　あしのかたちで、
みちを　あるいて
いくこと。

で

道

人（ひと）と　人（ひと）が　かおをむきあわせて
行き来（いきき）している　ところのことで
〈みち〉のいみをあらわす。

となえかた

道	ソ
道	一（いち）
道	ノ
道	目（め）に
道	しんにょう

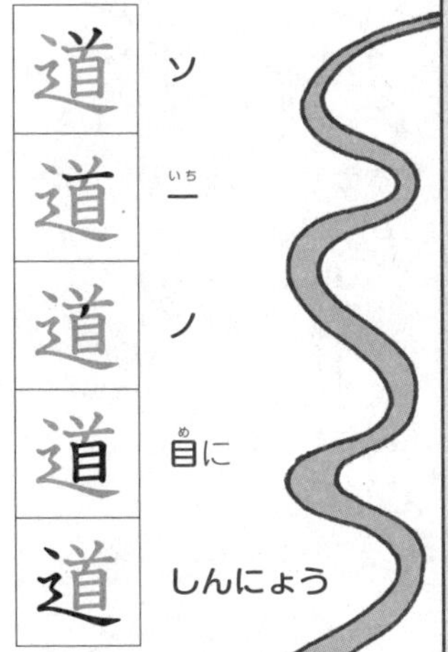

きを　つけよう　道の「目」を「日」と　しない。

近

辶（しんにょう）の部・7画

□その他型／ノ（ななめぼう）

くん ちかい　駅へいく**近道**がある。
近頃、二人はなかがわるい。
近くにすんでいる友だちと、山にのぼった。

おん キン　日本の**近海**は、魚の種類が多いところだ。

いみ ❶**ちかい・きょりがみじかい**●近道・間近・身近・近海・近郊・近視・近所・近隣・遠近・接近・付近　❷**ちかごろ・あまり時間がたっていない**●近頃・近刊・近日・近年・最近　❸**したしい・なかがよい**●親近

なりたち

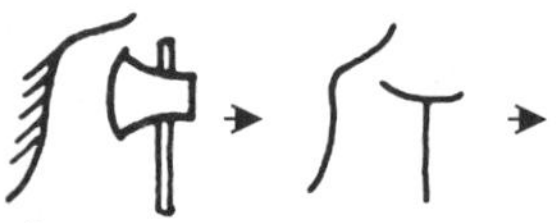

斤

木をきる　おののかたち。

と

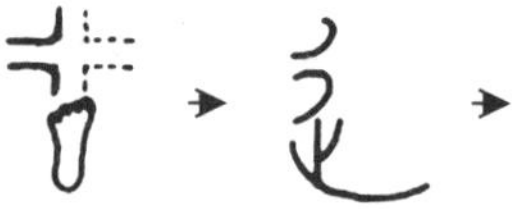

辶

みちと　あしのかたちで、いくこと。

で

近

木をきる音が　したので　いってみると、ちかくだったということから〈**ちかい**〉のいみになった。

となえかた

近　ノにノをたてて

近　**よこ　たてで**

近　左におおきく **しんにょう** つける

さんこう　**近**の　はんたいの　いみの字…**遠**

遠

辶（しんにょう）の部・13画
□その他型／一（よこぼう）

くん とおい　**遠い**北の国の人。
年をとると、耳が**遠く**なる。
宿題が多くて、気が**遠く**なりそうだ。

おん エン　大雨で**遠足**は中止になった。
（オン）　**久遠**のむかしに思いをはせる。

いみ **❶とおい・はなれている**●遠浅・遠回り・遠泳・遠海・遠近・遠景・遠視・遠征・遠足・遠方・遠洋・遠路　**❷時間が長い**●永遠・久遠　**❸つながりがうすい**●遠縁・遠因

なりたち

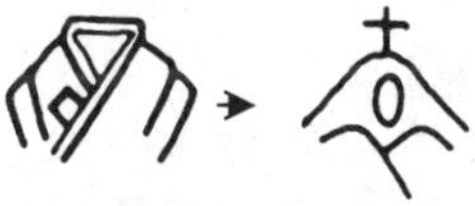

袁

きものの　ふところに、ものをいれたかたち。

と

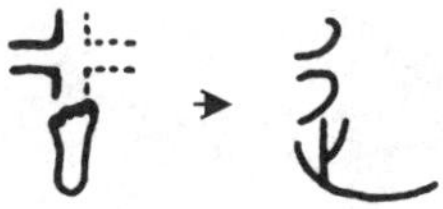

辶

みちと　あしのかたちで、いくこと。

で

遠

ふところに　ものをいれて、とおくまで　とどけにいくことから〈とおい〉のいみになった。

となえかた

遠	土
遠	口
遠	イ
遠	く
遠	しんにょう

きを　つけよう　遠の「土」を「士」と　しない。

週

⻌（しんにょう）の部（ぶ）・11画（かく）

□ その他型（たがた）／ノ（ななめぼう）

くん ―――

おん シュウ　**一週間**（いっしゅうかん）ぶりに晴（は）れて、青空（あおぞら）がみえた。
週末（しゅうまつ）に妹（いもうと）と登山（とざん）をした。
読書週間（どくしょしゅうかん）がはじまる。
毎週（まいしゅう）土曜日（どようび）には、図書館（としょかん）にいく。

いみ **一週間**（いっしゅうかん）**のこと** ● 週間（しゅうかん）・週刊誌（しゅうかんし）・週休（しゅうきゅう）・週番（しゅうばん）・週末（しゅうまつ）・今週（こんしゅう）・先週（せんしゅう）・毎週（まいしゅう）・来週（らいしゅう）

なりたち

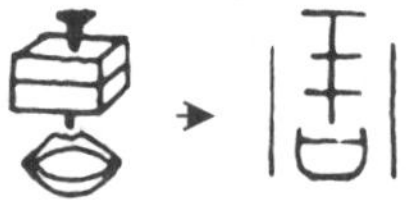

周

いたに　くぎを
つきとおすかたちと
口（くち）で、しらせること。

と

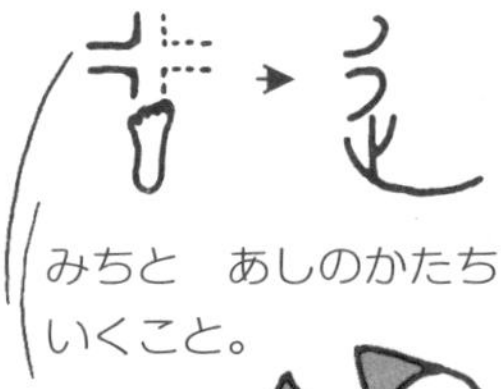

⻌

みちと　あしのかたちで、
いくこと。

で

週

みんなに　なにかをしらせるため、
ぐるっと　めぐりあるくことから
〈**一週間**（いっしゅうかん）〉のいみをあらわす。

となえかた

たてたノに
かぎをはね
よこ　**たて**
よこで
口（くち）をいれ
左（ひだり）におおきく
しんにょう
つける

きを　つけよう　週の「⻌」の「㇏」を　わすれずに　書（か）く。

心

心(こころ)の部・4画
左右型／丶(てん)

くん **こころ**　おとなの**心**をゆり動かす絵本。
おん **シン**　あしたの天気が**心配**だ。
車輪の**心棒**がおれる。

いみ ❶**しんぞう**● 心肝・心臓・狭心症 ❷**こころ・せいしん・きもち**● 心当たり・心構え・心残り・心持ち・心意・心外・心境・心情・心身・心中・心配・心理・安心・感心・関心・苦心・本心・用心・良心・心地 ❸**まんなか・しん**● 心棒・核心・重心・中心

●**特別な読み**…(心地)

なりたち

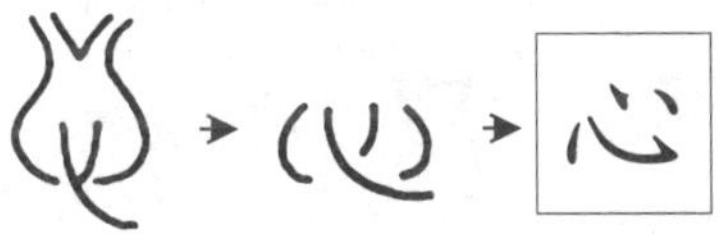

しんぞうのかたち。

からだじゅうに　けつえきをおくりだす　しんぞうのかたちから**〈しんぞう・こころ〉**をあらわす。

となえかた

おおきな**てん**

右へ
まげはね

てんふたつ

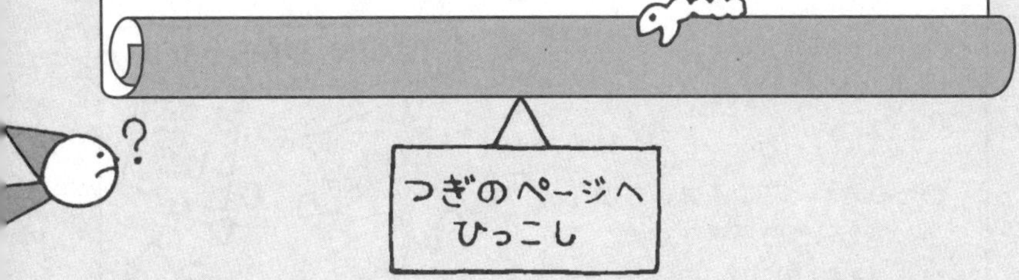

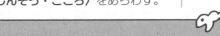

クイズ　**心を□にする**　□に入るのは？　①鬼　②神　③仏

思

心(こころ)の部(ぶ)・9画(かく)

上下型(じょうげがた)／｜(たてぼう)

くん おもう　小(ちい)さいときの**思(おも)い出(で)**を話(はな)す。
えんりょせずに、**思(おも)う**ことをいう。
なき父(ちち)への**思(おも)い**がつのる。

おん シ　どうしたらよいか、**思案(しあん)**にくれる。
「**不思議(ふしぎ)**の国(くに)のアリス」を読(よ)む。

いみ **おもう・かんがえる・かんがえ** ●思(おも)い出(で)・物思(ものおも)い・思案(しあん)・思考(しこう)・思索(しさく)・思春期(ししゅんき)・思想(しそう)・思潮(しちょう)・思慕(しぼ)・意思(いし)・想思(そうし)・沈思(ちんし)・不思議(ふしぎ)

なりたち

 →  → 田

のうみそのかたち。

と

 →  → 心

しんぞうのかたちで、
こころのこと。

で

思

のうみそや　こころは、ものを
かんがえるはたらきをするところ
から〈**おもう**〉のいみになった。

となえかた

思	たて　かぎ
思	たて　よこ なかしきり
思	**そこ**を**とじ**たら
思	心(こころ)をつける

きを　つけよう 思の「田」を「甲」「由」「申」と　しない。

肉

肉（にく）の部・6画

□その他型／丨（たてぼう）

くん ――――

おん ニク　**牛肉**のすきやきは大好物だ。
ライオンは**肉食動物**だ。
金星は、**肉眼**でもはっきりみえる。
肉親のような愛情をかける。

いみ **❶にく**・肉食・肉体・肉類・牛肉・魚肉・筋肉・鳥肉・馬肉・皮肉　**❷み・果物や野菜などの皮につつまれたやわらかな部分**・肉質・果肉　**❸じかに・そのまま・道具や機械をつかわない**・肉眼・肉声・肉筆　**❹血えんの関係にあるもの**・肉親・骨肉

なりたち

しわのよった、やわらかい
にくのかたち。

とりや　けものの　にくの
ひときれの　かたちで〈**にく**〉の
いみをあらわす。

となえかた

たて

かぎはねて

人ふたつ

クイズ　弱肉強□　□に入るのは？　①魚　②食　③色

牛

牛（うし）の部・4画
□その他型／ノ（ななめぼう）

くん うし　かわいい**子牛**が生まれた。
牛飼いの少年のお話を読んだ。

おん ギュウ　**牛乳**いりのビスケットは、おいしい。
水牛がひく車にのる。

いみ ウシ ●牛飼い・子牛・牛飲馬食・牛後・牛脂・牛車・牛舎・牛刀・牛肉・牛乳・牛馬・牛皮・牛酪・水牛・闘牛・肉牛・乳牛・野牛

●**読み方に注意**…「牛車」は「ぎっしゃ」とも読む。

なりたち

うしの　かおのかたち。
つのが　とくちょう。

となえかた

ノに
よこ2ほん
たてながく

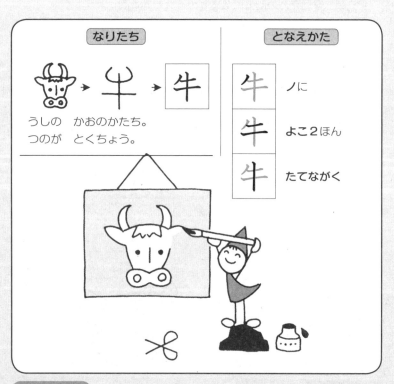

きを　つけよう　牛と　にている字…午

半

十(じゅう)の部(ぶ)・5画(かく)

□その他型(たがた)／丶(てん)

くん なかば　春(はる)も**半(なか)ば**をすぎると、あたたかくなってくる。
勝負(しょうぶ)は負(ま)けだと、**半(なか)ば**あきらめていた。

おん ハン　りんごを**半分(はんぶん)**ずつわけて、たべた。

いみ ❶**はんぶん・まんなか**● 半円(はんえん)・半額(はんがく)・半期(はんき)・半月(はんげつ)・半紙(はんし)・半数(はんすう)・半島(はんとう)・半年(はんとし)・半日(はんにち)・半分(はんぶん)・過半数(かはんすう)・後半(こうはん)・前半(ぜんはん)・夜半(やはん)　❷**だいたい**● 半永久(はんえいきゅう)・大半(たいはん)・生半可(なまはんか)　❸**奇数(きすう)**● 丁半(ちょうはん)

なりたち

わける　しるし。

と

うしの　かおのかたち。
「牛(うし)」を　りゃくしたもの。

で

半

うしは　だいじなざいさんだった。
そのうしを　ふたつにわけたこと
から〈**はんぶん**〉のいみになった。

となえかた

ソに

よこ２ほん

たてながく

きを　つけよう　半と　にている字(じ)…羊

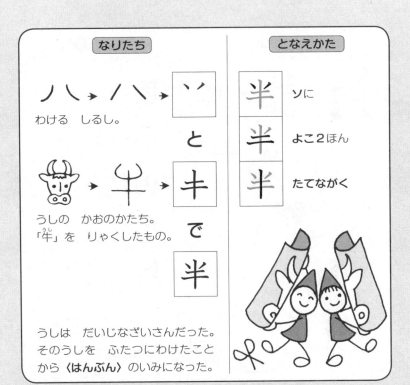

馬

馬（うま）の部・10画

□その他型／丨（たてぼう）

くん うま　あき地で、**馬飛び**をしてあそんだ。

ま　**馬子**にも衣装で、りっぱにみえる。

群馬県にある富岡製糸場は、日本の世界遺産のひとつだ。

おん バ　王子さまの**馬車**が、ちかづいてくる。

いみ ウマ ● 馬市・馬飛び・馬乗り・馬子・竹馬・馬脚・馬具・馬車・馬術・馬上・馬賊・馬肉・馬場・馬力・騎馬・牛馬・競馬・乗馬・竹馬・木馬・伝馬船

●**特別な読み**…（伝馬船）

なりたち

うまのかたち。

となえかた

馬	**たて**
馬	**よこ**
馬	まんなか **たて**ぼういれて
馬	**よこ**ぼう**2**ほん **かぎまげはね**て
馬	そしてさいごに **てんよっつ**

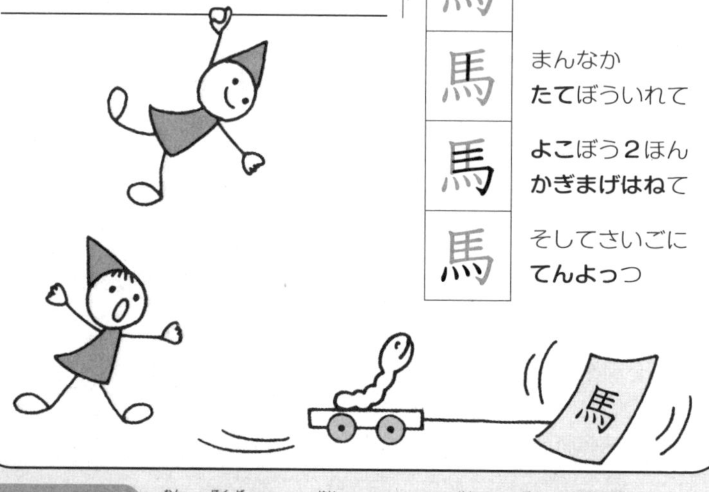

クイズ　南□北馬　□に入るのは？　①船　②歩　③牛

クイズの　のはらに　でたよ。
さあ、
《えもじ　クイズ》を
かんがえよう。

えもじ
クイズ
いつつの なかに
が を こめて
つくった が はいっています。
のいるところまで
もっていってね。

こたえは
189ページ

弱

弓（ゆみ）の部・10画
左右型／一（よこぼう）

くん よわい　たこをあげるのは、**弱い**糸ではだめだ。
よわる　年をとると足腰が**弱る**。
よわまる　午後には雨足が**弱まる**。
よわめる　にえたら、コンロの火を**弱める**。
おん ジャク　病気で、だんだん**衰弱**してきた。

いみ ❶**よわい・力がない**● 弱気・弱音・弱味・弱視・弱者・弱小・弱体・弱点・弱肉強食・強弱・衰弱・軟弱・薄弱・病弱・貧弱　❷**年がわかい**● 弱年・弱輩・弱冠

なりたち

うまれたばかりの
ひなどりが、
ならんでいるかたち。

うまれたばかりの　ひなどりは、
よわよわしいことから〈**よわい**〉
のいみになった。

となえかた

コをかいて

ノに**つづけ**て
かぎを**はね**

ンをいれたら

右も**おなじ**に

さんこう　弱の　はんたいの　いみの字…**強**

羽

羽（はね）の部・6画
左右型／一（よこぼう）

くん は　せんぷうきの**羽根**。
水鳥の**羽音**。

はね　カナリアの**羽**がぬける。
ひさしぶりに**羽**をのばしてあそぶ。

おん（ウ）　鳥には、**羽毛**がぬけかわる時期がある。

いみ ❶**鳥のはね・つばさ・毛**●羽音・羽子板・羽根・羽根突き・矢羽・羽化・羽毛　❷**はねにたとえるもの**●羽織・羽衣・羽二重・羽目板

●**読み方に注意**…「羽」は、前に来る音によって「わ」「ば」「ぱ」になる。
（例）一羽・三羽・六羽。

なりたち

とりの　はねのかたち。

とりの　はねを　二本ならべて
〈はね〉をあらわした。

となえかた

かぎはね

ン

かぎはね　ンで
羽ができ

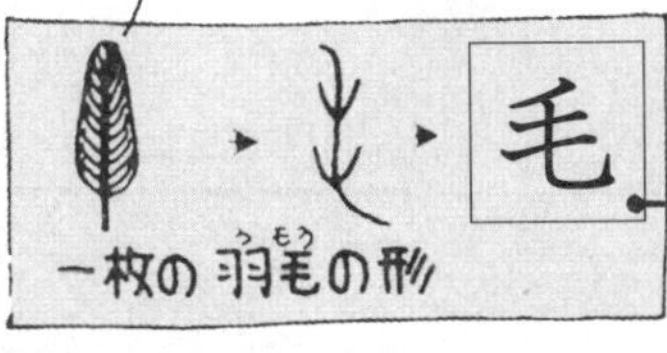

クイズ　白羽の□が立つ　□に入るのは？　①弓　②矢　③鳥

毛

毛（け）の部（ぶ）・4画（かく）

その他型（たがた）／ノ（ななめぼう）

くん け　**毛糸**（けいと）で手（て）ぶくろをあむ。
毛並み（けなみ）のよい犬（いぬ）。
毛筋（けすじ）ほどのくるいもない、よいできばえ。

おん モウ　**毛布**（もうふ）をかけて休（やす）む。
自分（じぶん）がわるいとは、**毛頭**（もうとう）思（おも）わない。

いみ **❶け**●毛糸（けいと）・毛織物（けおりもの）・毛皮（けがわ）・毛並み（けなみ）・毛虫（けむし）・毛根（もうこん）・毛髪（もうはつ）・毛筆（もうひつ）・毛布（もうふ）・羽毛（うもう）・紅毛（こうもう）・純毛（じゅんもう）・羊毛（ようもう）　**❷けのように細（こま）かい・わずか**●毛筋（けすじ）・毛細管（もうさいかん）・毛頭（もうとう）　**❸作物（さくもつ）ができること**●二毛作（にもうさく）・不毛（ふもう）

なりたち

とりの　はねのかたち。

とりの　はねのかたちから、とりのけや　人（ひと）のかみのけなど、人（ひと）や動物（どうぶつ）の〈け〉のことをあらわした。

となえかた

ノをかいて

よこぼう２ほん

たてまげはねる

きを　つけよう　毛と　にている字（じ）…手

鳥

鳥（とり）の部・11画（かく）

□その他型（たがた）／ノ（ななめぼう）

くん とり　森（もり）できれいな青（あお）い**小鳥**（ことり）を見（み）た。

ぼくは怪談（かいだん）をきくと、いつも**鳥肌**（とりはだ）が立（た）つ。

おん チョウ　**白鳥**（はくちょう）のおやこが、なかよく池（いけ）をおよいでいる。

いみ トリ ●鳥肌（とりはだ）・鳥目（とりめ）・小鳥（ことり）・水鳥（みずどり）・山鳥（やまどり）・渡り鳥（わたりどり）・鳥類（ちょうるい）・愛鳥（あいちょう）・一石二鳥（いっせきにちょう）・益鳥（えきちょう）・害鳥（がいちょう）・飛鳥（ひちょう）・不死鳥（ふしちょう）・保護鳥（ほごちょう）・野鳥（やちょう）・留鳥（りゅうちょう）

●**特別な読み**（とくべつなよみ）…〈都道府県（とどうふけん）〉鳥取（とっとり）

なりたち

おの　ながい　とりの　かたち。

となえかた

ノに　**たて**つけて

ヨをかいて

よこぼうひいて

かぎまげはねて

なかに**てんてん　よっ**つかく

きを　つけよう　**鳥**と　にている字（じ）…**島**

鳴

鳥(とり)の部(ぶ)・14画(かく)
左右型(さゆうがた)／丨(たてぼう)

くん なく　スズムシの**鳴(な)く**声(こえ)がきこえる。
なる　目(め)ざまし時計(どけい)のベルが**鳴(な)る**。
ならす　ふえを**吹(ふ)き鳴(な)らす**。
おん メイ　わたしは父(ちち)の話(はな)すことに**共鳴(きょうめい)**した。

いみ ❶なく・鳥(とり)や虫(むし)などがなく ● 鳴(な)き声(こえ)・鶏鳴(けいめい)　❷なる・なりひびく・音(おと)がする ● 鳴(な)り物(もの)・海鳴(うみな)り・高鳴(たかな)り・耳鳴(みみな)り・鳴動(めいどう)・共鳴(きょうめい)・悲鳴(ひめい)・百家争鳴(ひゃっかそうめい)・雷鳴(らいめい)

なりたち

→ 口

くちのかたち。

と

→ 鳥

おの　ながい　とりの
かたち。

で

鳴

とりは　よく　さえずる　もの
なので、「口(くち)」と「鳥(とり)」で〈なく〉
のいみになった。

となえかた

鳴	口(くち)をかき
鳴	ノ　たて
鳴	ヨ　一(いち)
鳴	かぎまげはねて
鳴	なかにてんてん よっつかく

つかいわけ　秋(あき)の夜長(よなが)にスズムシが**鳴(な)く**。くやしくて**泣(な)く**。

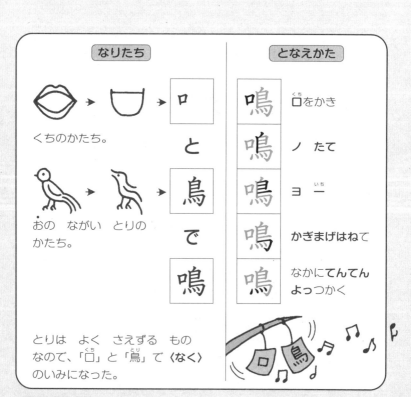

西

西(にし)の部(ぶ)・6画(かく)
□その他型(たがた)／一(よこぼう)

くん にし　日(ひ)が**西**(にし)にしずんで、あたりがくらくなる。
西日(にしび)がさしこんで、へやが暑(あつ)い。

おん セイ　トマトは**西洋**(せいよう)からきた野菜(やさい)だ。
関東以西(かんとういせい)は暴風雨(ぼうふうう)だ。

サイ　**東西**(とうざい)に走(はし)る道(みち)。
おじいちゃんはこんど、**西国巡礼**(さいこくじゅんれい)の旅(たび)にでる。

いみ ❶にし ● 西日(にしび)・西下(さいか)・西国(さいこく)・西経(せいけい)・西進(せいしん)・西部(せいぶ)・西風(せいふう)(西風(にしかぜ))・西方(せいほう)・以西(いせい)・関西(かんさい)・東西(とうざい)　❷ヨーロッパ ● 西欧(せいおう)・西洋(せいよう)・西暦(せいれき)

なりたち

とりが　すの　うえに
とまっているかたち。

日(ひ)が　にしにかたむくころ、
とりが　すに　かえることから
〈にし〉のいみになった。

となえかた

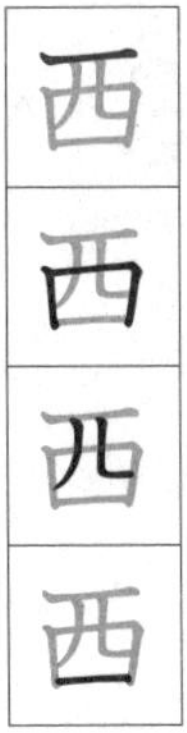

よこぼうに

たて
かぎかいて

ルに にた字(じ)

よこぼうひいて
そことじる

さんこう　西の　はんたいの　いみの字(じ)…**東**

魚

魚(うお)の部・11画
上下型／ノ(ななめぼう)

くん うお　朝早くから、**魚河岸**はにぎわう。
さかな　いとこのお兄さんと**魚釣り**にでかける。

おん ギョ　クジラは**魚類**ではない。
かなしい**人魚姫**のお話。

いみ うお・さかな ● 魚市場・魚河岸・魚釣り・魚屋・川魚(川魚)・魚介・魚肉・魚網・魚類・金魚・深海魚・淡水魚・人魚・熱帯魚・木魚・雑魚

● **特別な読み**…(雑魚)

なりたち

さかなのかたち。

となえかた

魚　ク
魚　田
魚　てん　よっつ

クイズ　□をえた魚のよう　□に入るのは？　①土　②木　③水

クイズの　のはらだよ。
《かくれんぼ　クイズ》を
やってみよう。
わかるかな？

かくれんぼ
クイズ

「東」という字の
なかから　かん字を
五つ　いじょう
さがしてごらん。

東

こたえは
189ページ

売

士（さむらい）の部・7画
上下型／一（よこぼう）

くん うる　公園でふうせんを**売る**、おじいさん。
うれる　暑い日には、アイスがよく**売れる**そうだ。
おん バイ　おとうさんは、駅の**売店**で新聞を買った。

いみ **❶うる・あきなう**● 売り上げ・売上金・売上高・売り買い・売り切れ・売り手・売値・売れ口・売店・売買・売約・商売・専売・転売・特売・発売・非売品　**❷ひろめる・うりものにする**● 売れっ子・売国・売文・売名

●**送りがなに注意**…「売上金」「売上高」「売値」は、「売り上げ金」「売り上げ高」「売り値」とは書かない。

なりたち

出（りゃくしたかたち）と、あみと貝のかたち。

買ってきたものを、出すことで〈うる〉ことをあらわす。

となえかた

よこ　たて

みじかい
よこをかき

ひらたい
ワのなか

ひとのあし

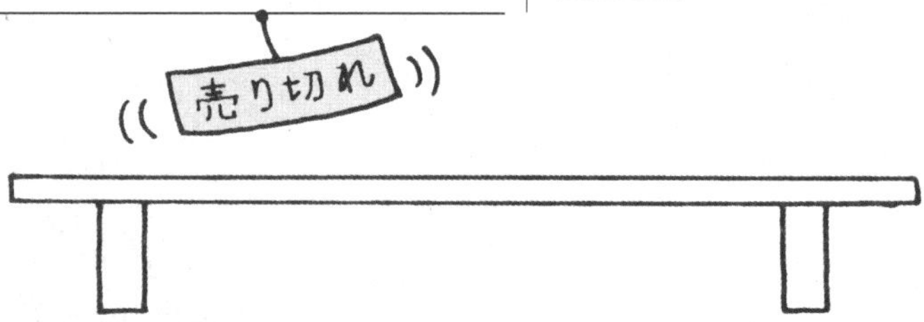

さんこう　売の　はんたいの　いみの字…買

買

貝(かい)の部・12画

上下型／丨(たてぼう)

くん かう　デパートで服とくつを**買う**。
きみの実力を**買**おう。

おん バイ　企業が土地を**買収**する。
不動産業は、家や土地を**売買**する仕事だ。

いみ **かう・かねでかう** ● 買い上げ・買い置き・買い占め・買い出し・買い手・買い主・買値・買い物・仲買・買収・購買・売買・不買

● **送りがなに注意**…「買値」「仲買」は、「買い値」「仲買い」とは書かない。

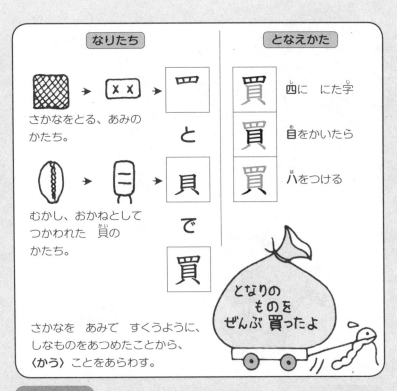

なりたち

さかなをとる、あみのかたち。

罒

と

むかし、おかねとしてつかわれた　貝のかたち。

貝

で

買

さかなを　あみで　すくうように、しなものをあつめたことから、〈**かう**〉ことをあらわす。

となえかた

買	四に　にた字
買	目をかいたら
買	ハをつける

きを つけよう 買の「罒」を「四」と　しない。

角

角(つの)の部(ぶ)・7画(かく)
□その他型(たがた)／ノ(ななめぼう)

くん **かど** **角**(かど)から二(に)けんめが、わたしの家(いえ)だ。
つの 子(こ)ジカの**角**(つの)は、やわらかい。
おん **カク** 三**角**(さんかく)や四**角**(しかく)のつみ木(き)であそぶ。
昆虫(こんちゅう)の触**角**(しょっかく)にさわってみる。

いみ **❶つの** ● 角笛(つのぶえ)・触角(しょっかく)・頭角(とうかく) **❷かどばったもの** ● 角材(かくざい)・角柱(かくちゅう)・角帽(かくぼう)・角棒(かくぼう) **❸直線(ちょくせん)がまじわってできる形(かたち)** ● 角度(かくど)・鋭角(えいかく)・三角(さんかく)・四角(しかく)・頂角(ちょうかく)・直角(ちょっかく)・鈍角(どんかく)・補角(ほかく)

なりたち

けものの　つののかたち。

どうぶつの〈**つの**〉や、とがったものの〈**かど**〉をあらわす。

となえかた

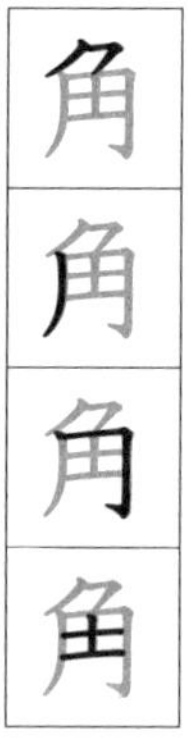

クをかいて
たてた**ノ**
かぎはね
たて
よこ2ほん

きを　つけよう **角**の「用」を「用」と　しない。

才

手(て)の部・3画

□その他型／一(よこぼう)

くん ―――

おん **サイ**　音楽の**天才**、モーツァルト。
のりちゃんは、七月七日で**八才**になります。

いみ **❶ちえ・ちえのはたらき・そしつ**●才覚・才気・才色・才能・才力・画才・多才・文才　**❷能力のある人**●才女・才人・英才・秀才・俊才・天才・鈍才　**❸年れいをかぞえる「歳」のかわりにつかう字**●一才・五十才

なりたち

めが、土の上に
でた　かたち。

くさが　じめんに　めを　だした　かたちで、これはやがて、えだやはになる　もとをもっている　ことから　うまれつきもっている能力をあらわし、**〈ちえ・そしつ〉**の　いみになった。

となえかた

よこ一

たてはね

ノをつける

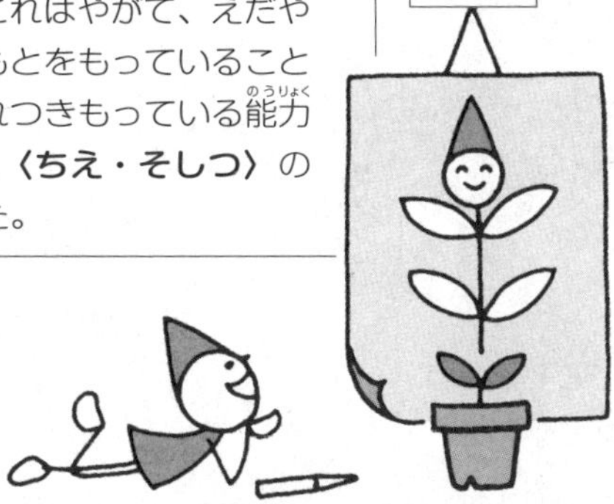

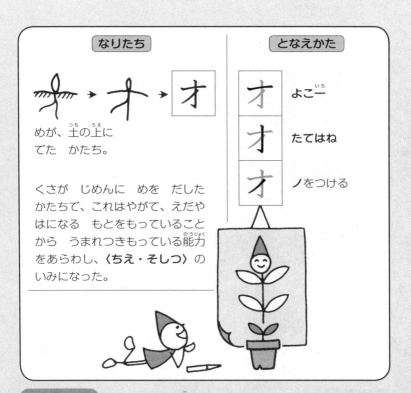

きを　つけよう　**才**と　にている字…**オ**(かたかな)

茶

艹（くさかんむり）の部（ぶ）・9画（かく）

上下型（じょうげがた）／一（よこぼう）

くん ―――

おん チャ　**紅茶**（こうちゃ）をのんで、ひとやすみしよう。
茶色い（ちゃいろ）セーターが、よくにあう。
この選挙（せんきょ）は、とんだ**茶番劇**（ちゃばんげき）だ。
（サ）　**喫茶店**（きっさてん）で、おいしいコーヒーをのむ。

いみ ❶**チャの木**（き）● 茶園（ちゃえん）・茶畑（ちゃばたけ）　❷**おちゃ（チャの芽（め）や若葉（わかば）ののみもの）**● 茶道（さどう）（茶道（ちゃどう））・茶会（ちゃかい）（茶会（さかい））・茶器（ちゃき）・茶室（ちゃしつ）・茶（ちゃ）の間（ま）・茶柱（ちゃばしら）・茶畑（ちゃばたけ）・茶番（ちゃばん）・喫茶（きっさ）・紅茶（こうちゃ）・新茶（しんちゃ）・緑茶（りょくちゃ）　❸**ちゃいろ**● 茶色（ちゃいろ）・茶褐色（ちゃかっしょく）・えび茶（ちゃ）・焦（こ）げ茶（ちゃ）

なりたち

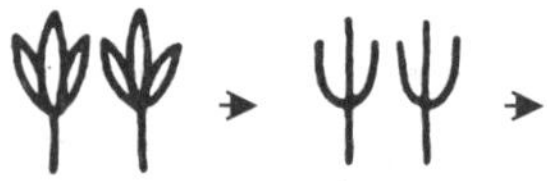

艹

くさの　はえている
かたち。

と

余

ちゃの木（き）の　はが
しげったかたち。

で

茶

ちゃの木（き）は、こんもりしげるので、
このかたちから**〈ちゃの木（き）〉**の
いみになった。

となえかた

よこぼう
たて　たて
（くさかんむり）

ひとやねに

ホ

きを　つけよう　茶の「ホ」を「木」と　しない。

毎

母(はは)の部・6画

上下型／ノ(ななめぼう)

くん ――――

おん マイ　**毎年**、九月ごろになると台風がくる。
ぼくは**毎夕**、母のてつだいをする。
毎度ありがとうございます。

いみ **そのときはいつも・そのたびに** ● 毎朝(毎朝)・毎回・毎時・毎週・毎月・毎度・毎年(毎年)・毎日・毎晩・毎秒・毎夕

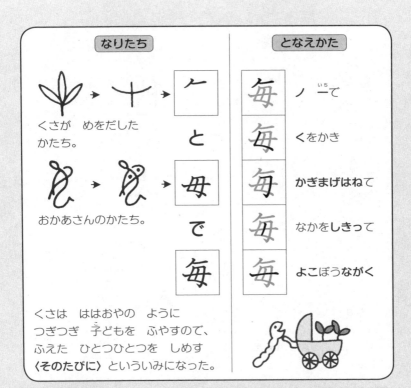

なりたち

𠂉

くさが　めをだした
かたち。

と

母

おかあさんのかたち。

で

毎

くさは　ははおやの　ように
つぎつぎ　子どもを　ふやすので、
ふえた　ひとつひとつを　しめす
〈そのたびに〉　といういみになった。

となえかた

ノ　一で
くをかき
かぎまげはねて
なかを**しきって**
よこぼうながく

きを　つけよう　**毎**の「毋」を「母」と　しない。

秋

禾（のぎへん）の部（ぶ）・9画（かく）

左右型（さゆうがた）／ノ（ななめぼう）

くん あき　**秋（あき）の七草（ななくさ）**は、ハギ・ススキ・クズ・ナデシコ・オミナエシ・フジバカマ・キキョウです。

おん シュウ　**秋分（しゅうぶん）**をすぎると、一日一日（いちにちいちにち）、夜（よる）が長（なが）くなる。

いみ **あき（四季（しき）のひとつ・九（きゅう）、十（じゅう）、十一月（じゅういちがつ）の三（さん）か月（げつ））** ● 秋風（あきかぜ）・秋口（あきぐち）・秋雨（あきさめ）・秋晴（あきば）れ・秋季（しゅうき）・秋期（しゅうき）・秋分（しゅうぶん）・秋冷（しゅうれい）・春秋（しゅんじゅう）・初秋（しょしゅう）・千秋（せんしゅう）・仲秋（ちゅうしゅう）・麦秋（ばくしゅう）（麦秋（むぎあき））・晩秋（ばんしゅう）・暮秋（ぼしゅう）・立秋（りっしゅう）

なりたち

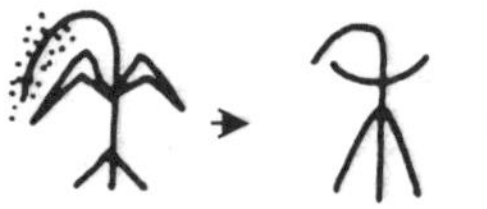

→ 禾

いねの　ほがたれているかたち。

と

→ 火

火（ひ）が　もえているかたち。

で

秋

いねが　みのったあと、ほさきを火（ひ）でやき、こめつぶを　とる季節（きせつ）というところから**〈あき〉**をあらわす。

となえかた

秋　ノ　木（き）とかき（のぎへんに）

秋　ソに

秋　人（ひと）つける

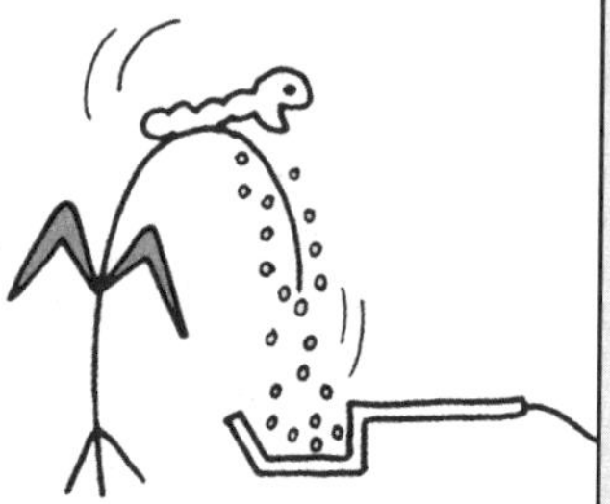

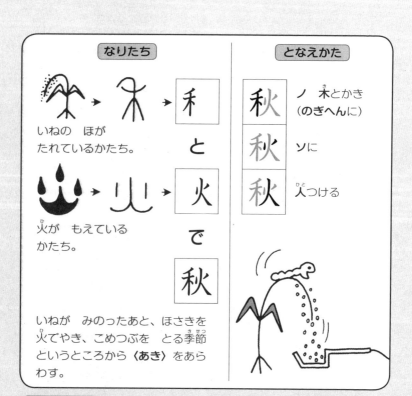

クイズ　まちがいはどれ？　①一日三秋（いちじつさんしゅう）　②一日九秋（いちじつきゅうしゅう）　③一日千秋（いちじつせんしゅう）

科

禾（のぎへん）の部・9画
左右型／ノ（ななめぼう）

くん ―――

おん **カ**　リンゴは**バラ科**の植物で、大きな実がなる。
兄は大阪の**医科大学**に入学した。

いみ **❶ものをくぎって、わけたもの**● 科目・医科・学科・教科・外科・小児科・専科・内科・百科・理科　**❷すじみちをたてて、深くしらべる**● 科学　**❸生物のわけかたのひとつ**● イネ科・バラ科　**❹つみ・とが**● 罪科・前科

なりたち

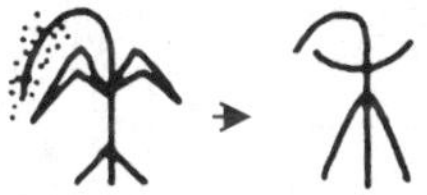

いねの　ほが
たれているかたち。

禾

と

ものをはかる　ますの
かたち。

斗

で

科

こくもつを　ますで　はかり、
けんさし、しゅるいをわけること
から、**〈くわけ〉**のいみになった。

となえかた

科	ノ　木とかき（のぎへんに）
科	てんてん　ふたつ
科	十をかく

きを　つけよう　**科**と　にている字…**料**

麦

麦(むぎ)の部(ぶ)・7画(かく)

上下型(じょうげがた)／一(よこぼう)

くん むぎ　麦飯(むぎめし)に、とろろをかけてたべる。
麦(むぎ)は、西(にし)アジアから中国(ちゅうごく)へわたってきたといわれる。

おん （バク）　麦芽(ばくが)で、あめをつくる。
麦秋(ばくしゅう)は初夏(しょか)のべつのいいかただ。

いみ ムギ（イネのなかまで実(み)はたべられる）●麦茶(むぎちゃ)・麦畑(むぎばたけ)・麦笛(むぎぶえ)・麦飯(むぎめし)・麦湯(むぎゆ)・麦(むぎ)わら・大麦(おおむぎ)・小麦(こむぎ)・裸麦(はだかむぎ)・麦芽(ばくが)・麦秋(ばくしゅう)（麦秋(むぎあき)）・米麦(べいばく)

なりたち

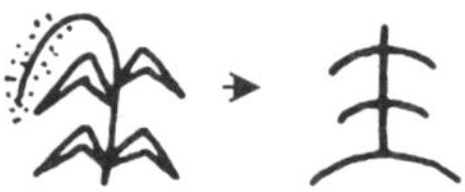

→ 龶

こくもつのかたち。

と

→ 夂

こちらにむかって
あるいてきて、
立(た)ちどまったかたちで、
つたわってきたこと。

で

麦

〈むぎ〉は天(てん)からのさずかりもの
であり、とおくから　つたわって
きたものと　かんがえられていた
ところから　つくられた字(じ)。

となえかた

麦　よこ
麦　たて
麦　よこ　よこ
麦　クに
麦　右(みぎ)ばらい

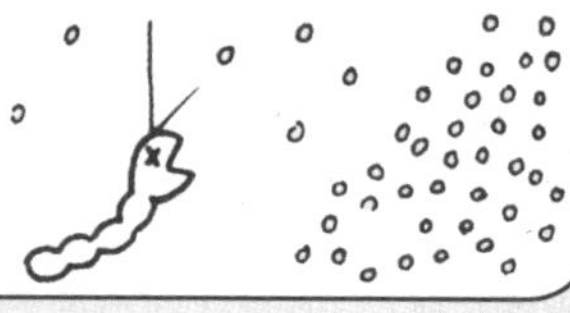

きを　つけよう　麦の「龶」を「土」と　しない。

来

木（き）の部・7画
□その他型／一（よこぼう）

くん くる　　わたしの家に、人がたずねて**来る**。
電車がホームに**来る**。
（きたる）　**来る**十月四日は、ぼくの学校の学習発表会だ。
（きたす）　停電で、電車の運行に支障を**来す**。
おん ライ　　**来年**、また会いましょう。
将来は社長になりたい。

いみ **❶くる・こちらへくる**●来客・来航・来場・来店・来日・遠来・往来　**❷そのときから・今まで**●来歴・以来・年来　**❸これから先**●来月・来週・来春（来春）・来年・将来・未来

なりたち

むぎの　ほが
みのっているかたち。

むかしは、むぎを　天からの
さずかりものだと　かんがえて、
天からくる　むぎのかたちをかき
〈くる〉といういみにした。

となえかた

- 来　よこ一
- 来　ソをかき
- 来　木をつける

きを　つけよう　来の　下のよこぼうは、上のよこぼうより　長く書く。

算

竹（たけ）の部・14画

上下型／ノ（ななめぼう）

くん ―――

おん サン　**算数**ができるようになると、いいなあ。
おこづかいのはんいで、**予算**をたててみる。

いみ ❶**数をかぞえる**●算数・算用数字・暗算・演算・加算・換算・計算・検算・珠算・筆算　❷**もくろみ・みこみ・はかりごと**●公算・算段・成算・目算・予算

なりたち

ケケ

たけの　はのかたちで、
たけのこと。

と

昇

貝を、りょう手で
かぞえているかたち。

で

算

貝はお金のことで　それを
かぞえて、竹のぼうで
けいさんすることから
〈かぞえる〉のいみになった。

となえかた

算	ケをふたつ（**たけかんむり**に）
算	**目**をかき
算	**よこ**ぼう
算	**たて**2ほん（ノに**たて**ぼう）

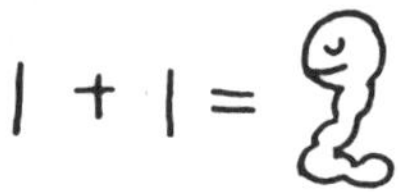

きを　つけよう　算の「目」を「日」と　しない。

答

竹(たけ)の部・12画
上下型／ノ(ななめぼう)

くん こたえる　それぞれの分野の専門家が、質問に**答える**。
こたえ　クイズの**答え**を、はがきに書く。
おん トウ　先生に**答案**をだす。
うそをついたので、**返答**にこまった。

いみ **❶こたえる・へんじをする・こたえ** ●答辞・答申・答弁・答礼・一問一答・応答・回答・確答・質疑応答・自問自答・即答・返答・問答　**❷もんだいをといたもの** ●答案・解答・名答

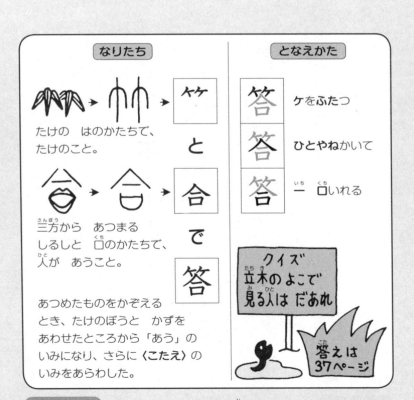

なりたち

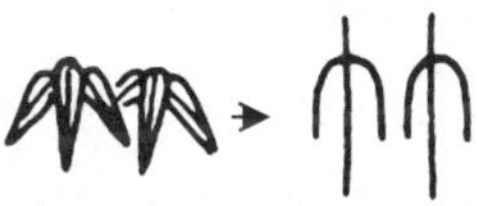

⺮

たけの　はのかたちで、
たけのこと。

と

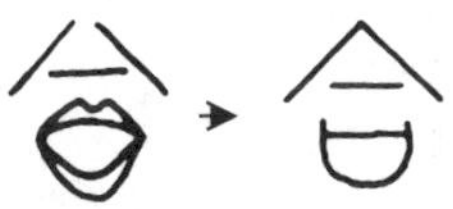

合

三方から　あつまる
しるしと　口のかたちで、
人が　あうこと。

で

答

あつめたものをかぞえる
とき、たけのぼうと　かずを
あわせたところから「あう」の
いみになり、さらに〈**こたえ**〉の
いみをあらわした。

となえかた

答	ケをふたつ
答	ひとやねかいて
答	一　口いれる

クイズ
立木のよこで
見る人は だあれ
答えは
37ページ

さんこう　答の　はんたいの　いみの字…**問**

米

米（こめ）の部(ぶ)・6画(かく)

その他型(たがた)／丶（てん）

くん こめ　お**米屋**(こめや)さんにいく。

農家(のうか)の**米蔵**(こめぐら)に、ネズミがいた。

おん ベイ　日本(にっぽん)では、**米飯**(べいはん)をとる人(ひと)が多(おお)い。

マイ　茶色(ちゃいろ)っぽい**玄米**(げんまい)をつくと、**白米**(はくまい)になる。

いみ **❶こめ・イネの実**(み)● 米蔵(こめぐら)・米屋(こめや)・米価(べいか)・米穀(べいこく)・米作(べいさく)・米食(べいしょく)・米麦(べいばく)・米飯(べいはん)・外米(がいまい)・玄米(げんまい)・新米(しんまい)・精米(せいまい)・白米(はくまい)　**❷アメリカのこと**● 米英(べいえい)・米国(べいこく)・欧米(おうべい)・渡米(とべい)・日米(にちべい)

なりたち

いねのさきに　もみが
ついて、たれている
かたち。

たれている　いねの　ほの　かたち
から〈**こめ**〉をあらわすように
なった。

となえかた

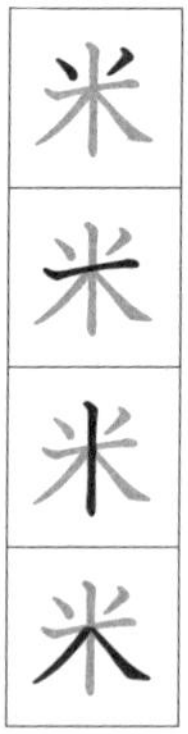

ソをかいて

よこぼう

たてぼう

左右(さゆう)**に**はらう

さんこう　アメリカを　かん字(じ)で書(か)くと　**米**。

戸

戸（と）の部・4画(かく)
上下型(じょうげがた)／一(よこぼう)

くん と　**雨戸**(あまど)をあけると、朝(あさ)の光(ひかり)がまぶしく、さしこんできた。
もう使(つか)われなくなった、古(ふる)い**井戸**(いど)。

おん コ　天気(てんき)がよいので**戸外**(こがい)へでた。
町内(ちょうない)の**戸数**(こすう)をしらべる。

いみ ❶と・とぐち ● 戸口(とぐち)・戸締(とじ)まり・雨戸(あまど)・網戸(あみど)・井戸(いど)・木戸(きど)・引(ひ)き戸(ど)・戸外(こがい)・門戸(もんこ)　❷家(いえ) ● 戸主(こしゅ)・戸数(こすう)・戸籍(こせき)・戸別(こべつ)

なりたち

両(りょう)びらきの　もんの、
左(ひだり)はんぶんのかたち。

かたびらきの　とびらのかたちで
〈と・とぐち〉のことをあらわす。

となえかた

よこぼう
かいて

コ

ノとかく

クイズ　人(ひと)の□に戸(と)は立(た)てられぬ　□に入(はい)るのは？　①口(くち)　②手(て)　③足(あし)

門

門（もんがまえ）の部・8画
左右型／｜（たてぼう）

くん（かど）　兄さんの**門出**をみんなでいわう。
げんかんに**門松**をたてる。

おん　モン　**門**のかぎをかける。
この工具は**専門家用**だ。

いみ　**❶かど・もん・でいりぐち**●門出・門松・門構え・門限・門戸・門前・門柱・門番・開門・校門・正門・閉門　**❷学問などのけいとう**●専門・仏門・部門　**❸先生を中心にしたなかま**●門下・門人・門弟・破門　**❹いえがら**●門閥・名門

なりたち

両びらきの　もんの
かたち。

このかたちから、いえの〈**もん・でいりぐち**〉という字になった。

となえかた

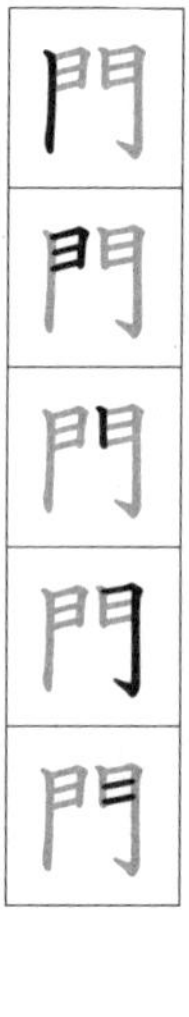

たてぼうに
ヨをつけて
たて
かぎはねて
よこ2ほん

きを　つけよう　門の　左のたてぼうは　はねない。右のたてぼうは　はねる。

間

門（もんがまえ）の部・12画
□ その他型／丨（たてぼう）

くん **あいだ**　ぼくと山川くんは、同じ塾にかよう**間柄**だ。
ま　テストの答えを**間違え**た。
おん **カン**　**間食**は、あまりしない。
ねぼうして、朝食の**時間**がない。
ケン　**世間**の人に、めいわくをかけてはならない。

いみ **❶あいだ・もののすきま**● 間柄・間近・仲間・間食・間接・行間・空間・山間・世間・人間　**❷かぎられたとき**● 間断・時間・年間・夜間　**❸へや**● 間借り・間口・間取り・居間・客間・広間

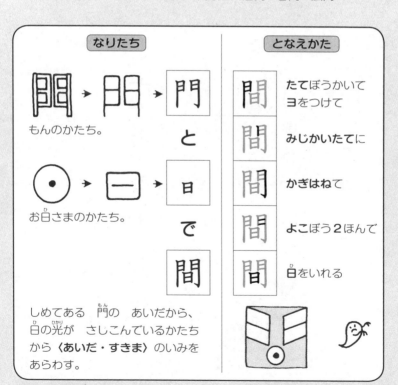

なりたち

もんのかたち。

と

お日さまのかたち。

で

しめてある　門の　あいだから、日の光が　さしこんでいるかたちから〈**あいだ・すきま**〉のいみをあらわす。

となえかた

たてぼうかいて **ヨ**をつけて

みじかいたてに

かぎはねて

よこぼう**2**ほんで

日をいれる

きを　つけよう　**間**と　にている字…**問**

市

巾（はば）の部・5画

□その他型／丶（てん）

くん いち　**青果市場**は朝早くひらく。

おん シ　**市営グラウンド**で野球をやる。

和食で**世界市場**に進出する。

いみ ❶**いち・いちば**●市場・朝市・魚市　❷**うりかい・あきない**●市価・市況・市場・市販　❸**まち**●市街・都市　❹**し・地方公共団体のひとつ**●市営・市外・市議会・市制・市政・市税・市長・市町村・市電・市民・市役所・市立

なりたち

いちばのたてものと、ものや人がぞろぞろ出入りするしるし。

いちばに、たくさんの　ものや人が出入りすることで、しなものを売ったり　買ったりする**〈いちば〉**のいみになった。

となえかた

てん　一に

たて

かぎはねて

たておろす

クイズ　**門□市をなす**　□に入るのは？　①内　②前　③中

京

亠(なべぶた)の部(ぶ)・8画(かく)
上下型(じょうげがた)／丶(てん)

くん ―――

おん **キョウ** **京都**(きょうと)は、日本(にっぽん)の古(ふる)い都(みやこ)としてさかえた。
全国(ぜんこく)から多(おお)くの受験生(じゅけんせい)が**上京**(じょうきょう)する。

（ケイ） **京浜工業地帯**(けいひんこうぎょうちたい)の生産額(せいさんがく)をしらべる。

いみ **❶みやこ・首都(しゅと)・皇居(こうきょ)のある土地(とち)** ● 京都(きょうと)・京浜(けいひん)・帰京(ききょう)・在京(ざいきょう)・上京(じょうきょう)・東京(とうきょう) **❷京都(きょうと)のこと** ● 京人形(きょうにんぎょう)・京焼(きょうやき)・京阪神(けいはんしん)

なりたち

おかの上(うえ)に、りっぱな
ごてんが　たつかたち。

むかし、水害(すいがい)などをさけて高台(たかだい)に住居(じゅうきょ)をつくったことから、そのばしょを中心(ちゅうしん)とした**〈みやこ〉**のいみになった。

となえかた

てん　一(いち)
口(くち)で
小(しょう)をかく

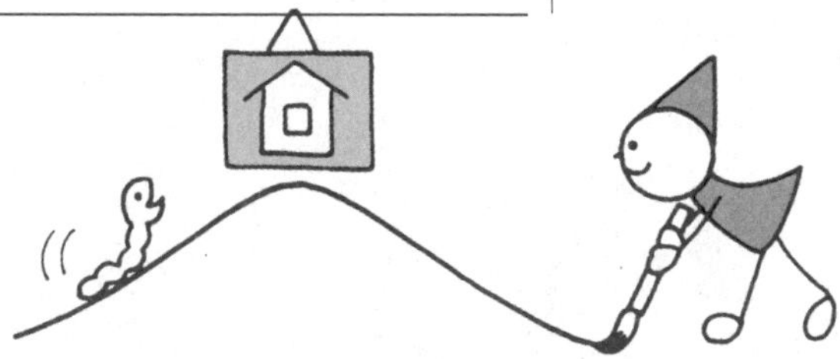

きを　つけよう **京**の「小」を「水」と　しない。

高（たかい）の部・10画
上下型／丶（てん）

くん たかい　日本一**高い**山は、富士山だ。
たか　**高**台にのぼって、けしきをながめる。
たかまる　世間の関心がきゅうに**高まる**。
たかめる　大会にむけて気持ちを**高める**。
おん コウ　きょうの暑さは、ことし最**高**だ。

いみ ❶たかい・位置がたかい ● 高台・高山・高所・高低・最高　❷ねだんがたかい ● 高値・高価・高額・高給・高利　❸ものごとのていどがたかい ● 高位・高温・高官・高速・高度・高等　❹すぐれている・りっぱ ● 高貴・高級・高潔・高弟・崇高

なりたち

おしろの、ものみやぐらのかたち。

ものみやぐらは、てきが　せめてきたのが　わかるように　たてた、たかい　たてものであることから**〈たかい〉**のいみになった。

となえかた

てん　一に
口かいて
たて
かぎはねて
なかに口

さんこう　**高**の　はんたいの　いみの字…**低**

家

宀（うかんむり）の部・10画
上下型／丶（てん）

くん **いえ**　さむいので、**家路**をいそぐ。
や　**家賃**をはらう。
なつかしい**我が家**に帰る。

おん **カ**　**一家**そろって、ハイキングをする。
ケ　とのさまの**家来**はただひとり。

いみ ❶**いえ・すまい**● 家路・家賃・我が家・家屋・家具・家財・家事・家来・母家　❷**かてい・家族のあつまり**● 家運・家人・家族・家庭・家風・一家・他家　❸**家がら・血すじ**● 家柄・家系・家門　❹**せんもんの人**● 家元・音楽家・画家・建築家・作家・専門家

● **特別な読み**…（母家）

なりたち

宀

いえの　やねのかたち。

と

豕

ぶたのかたち。

で

家

むかし、ぶたは　ざいさんであり、
いえには　つきものだったので
〈いえ〉のいみになった。

となえかた

家	**ウかんむり** （**ウ**をかいて）
家	**よこぼう** **ノ**をかき
家	**たてまげはねて**
家	**ノ　ノ**と **つづけ**て
家	**左右**に**はらう**

きを　つけよう　家の「宀」を「冖」と　しない。

室

宀（うかんむり）の部・9画
上下型／丶（てん）

くん（むろ）　北海道の牧場には、サイロとよばれる**室**がある。
おん　シツ　**温室**の中は、いつもぽかぽかとあたたかい。
エアコンをつけたら、**室温**が三度上がった。

いみ ❶**へや・すまい**●石室（石室）・氷室（氷室）・室温・室長・室内・暗室・温室・教室・別室・洋室・浴室・和室　❷**つま・身分のたかい人のつま**●正室・側室・内室・令室

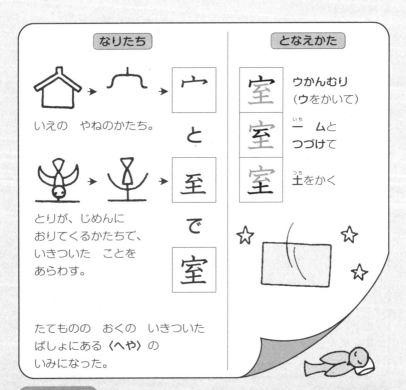

なりたち

宀

いえの　やねのかたち。

と

至

とりが、じめんに
おりてくるかたちで、
いきついた　ことを
あらわす。

で

室

たてものの　おくの　いきついた
ばしょにある〈へや〉の
いみになった。

となえかた

室　**ウかんむり**
（**ウ**をかいて）

室　**一　ム**と
つづけて

室　**土**をかく

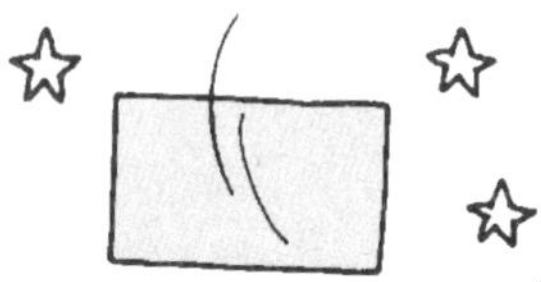

きを　つけよう　室の「土」を「士」と　しない。

広

广(まだれ)の部・5画
□その他型／丶(てん)

くん ひろい　どこまでも**広い**宇宙。
ひろまる　うわさが学校中に**広まる**。
ひろめる　キリストの教えを**広めた**聖マタイ。
ひろがる　空いちめんに雨雲が**広がる**。
ひろげる　校庭を**広げる**工事をして、テニスコートをつくる。
おん コウ　鳥たちは、**広大**な空を自由にとびまわる。

いみ ❶ひろい●広場・広間・広域・広義・広大・広範囲・広野　❷ひろめる・ひろがる●広言・広告・広報

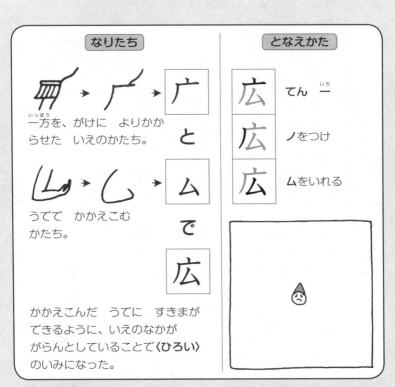

なりたち

→ 广

一方を、がけに　よりかから せた　いえのかたち。

と

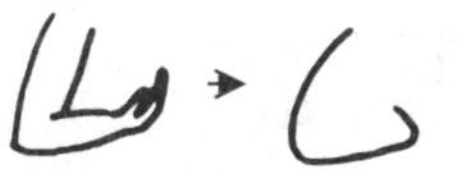

→ ム

うでで　かかえこむ かたち。

で

広

かかえこんだ　うでに　すきまが できるように、いえのなかが がらんとしていることで**〈ひろい〉**のいみになった。

となえかた

広	てん　一
広	ノをつけ
広	ムをいれる

きを　つけよう　広の「广」を「厂」と　しない。

店

广(まだれ)の部・8画(かく)
□その他型(たがた)／丶(てん)

くん みせ　**夜店**(よみせ)で、わたがしを買(か)った。
おじが新(あたら)しい**店**(みせ)をだす。

おん テン　**書店**(しょてん)へいって絵本(えほん)を買(か)う。
にぎやかな**商店街**(しょうてんがい)だ。
コンビニの**店員**(てんいん)さんが、いそがしくはたらいている。

いみ **みせ(しなものをならべて売**(う)**るところ)** ●店先(みせさき)・店番(みせばん)・茶店(ちゃみせ)・夜店(よみせ)・出店(でみせ)・店員(てんいん)・店主(てんしゅ)・店頭(てんとう)・店舗(てんぽ)・開店(かいてん)・支店(してん)・商店(しょうてん)・書店(しょてん)・代理店(だいりてん)・百貨店(ひゃっかてん)・閉店(へいてん)・本店(ほんてん)・露店(ろてん)

なりたち

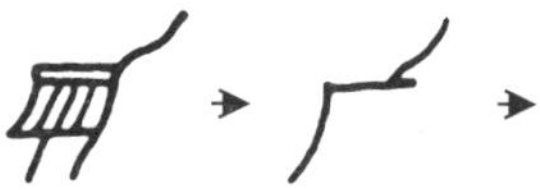

广

一方(いっぽう)を、がけに　よりかからせた　いえのかたち。

と

占

うらないのときに　つかう、かめのこうらの　ひびと　口(くち)のかたちで、うらなってきめること。

で

店

うらなって　きめたばしょに　いえをたてて　商売(しょうばい)をするという　ことから**〈みせ〉**のいみを　あらわした。

となえかた

店　**てん**　一(いち)

店　ノをつけ

店　なかに　**たて　よこ**

店　口(くち)をかく

きを　つけよう　**店**の「占」を「古」と　しない。

図

口（くにがまえ）の部・7画
□その他型／丨（たてぼう）

くん （はかる）　あらそいの解決を**図る**。

おん ズ　**図形**の面積を計算してだす。
兄は、すぐ**図**にのる。

ト　**図書館**で本をかりてくる。
書き手の**意図**を考える。

いみ **❶ず・えがいたもの**●図案・図画・図解・図鑑・図形・図工・図式・図表・図面・海図・構図・製図・設計図・地図・図書　**❷はかる・計画する**●意図・企図

なりたち

かこいのかたちと、
とちを　しきるしるして、
ちずをあらわす。

田や　はたけのある　ばしょを、
ずめんにしるしたことから**〈ず・えがいたもの〉**のいみになった。

となえかた

たてぼうかいて

かぎをつけ

ツに**てん**
つけたら

そこふさぐ

クイズ　まちがいはどれ？　①**図**に乗る　②**図**が高い　③**図**に当たる

国

口（くにがまえ）の部・8画
その他型／丨（たてぼう）

くん くに　**北国**の冬はきびしい。
お国なまりのことばも、いいものだ。

おん コク　**国字**は、日本でつくられた漢字だ。
日本と**中国**とは、古くからゆききがある。

いみ ❶くに ● 北国・国語・国際・国字・国土・国道・国内・国宝・国民・国有・国立・国家・国歌・国会・国旗・国境(国境)・国交・外国・出国・大国・入国　❷ふるさと・いなか ● 国元・郷国・故国・祖国・母国

なりたち

かこいと、天と地のあいだに
人と　たからものがある
かたち。

かこいのなかに　王さまがいて
たからものが あるということから
〈くに〉のいみになった。

となえかた

たてぼうかいて
かぎをつけ
よこ　たて
よこ　よこ
てんをつけたら
そことじる

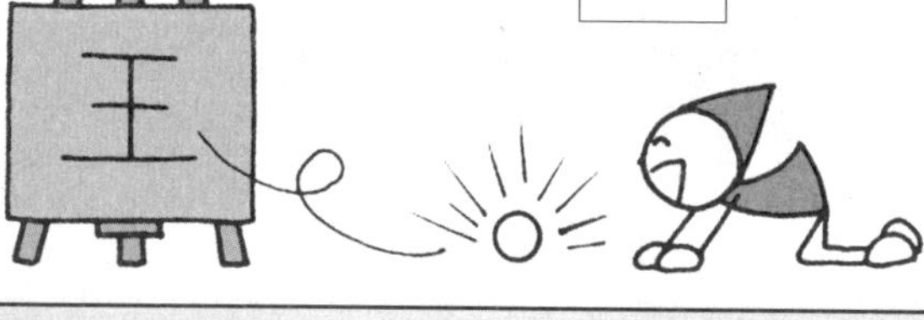

きを　つけよう　国の「玉」の「丶」を　わすれずに　書く。

園

口（くにがまえ）の部・13画
その他型／丨（たてぼう）

くん（その）　春になると、**花園**がうつくしい。
おん エン　**家庭菜園**でトマトを育てる。
遊園地は、とてもたのしい。

いみ ❶花、やさい、くだものをうえるはたけ ● 花園・園芸・果樹園・菜園・田園・農園 ❷人があつまってたのしむところ ● 園遊会・公園・植物園・庭園・動物園・遊園地・楽園 ❸子どもをおしえたり、あずかったりするところ ● 園児・園長・学園・保育園・幼稚園

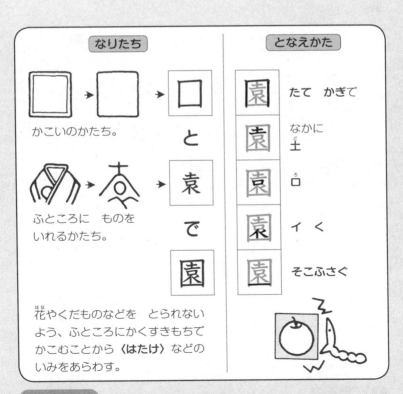

なりたち

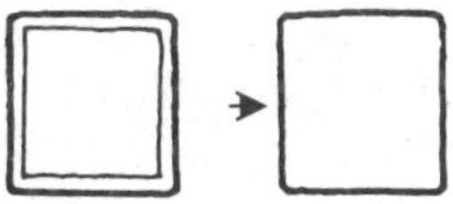

口

かこいのかたち。

と

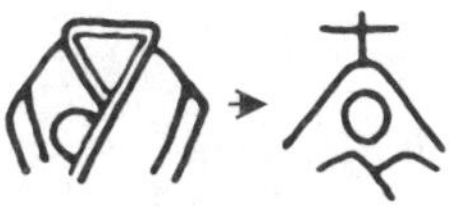

袁

ふところに　ものを
いれるかたち。

で

園

花やくだものなどを　とられない
よう、ふところにかくすきもちで
かこむことから **〈はたけ〉** などの
いみをあらわす。

となえかた

たて　かぎで

なかに
土

口

イ　く

そこふさぐ

きを　つけよう　園の「土」を「士」と　しない。

明

日（ひ）の部・8画
左右型／丨（たてぼう）

くん あかり　**明かり**をつける。　あかるい　南国の**明るい**太陽。
あかるむ　東の空が**明るむ**。　あからむ　まどの外が**明らむ**。
あきらか　**明らか**に正しい。　あける　長い夜が**明ける**。
あく　やっと目が**明く**。　あくる　**明くる**朝までまつ。
あかす　種を**明かす**。

おん メイ　理由を**説明**する。　ミョウ　**明朝**六時に出発する。

いみ **❶あかるい・あかり**● 明星・明暗・明月・照明　**❷はっきりしている**● 明確・明記・明示・明白・解明・証明・説明　**❸かしこい**● 明君・賢明　**❹つぎのとき**● 明朝（明朝）・明日（明日）・明年

●**特別な読み**…明日

なりたち

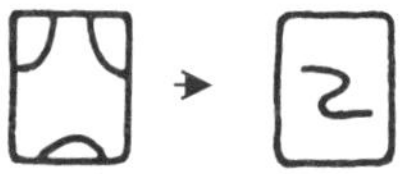

日

まどのかたち。

と

月

つきのかたち。

で

明

まどから　さしこむ　つきの
あかるさから〈**あかるい**〉の
いみになった。

となえかた

明　日をかいてから

明　月をかく

つかいわけ　生まれた子犬の目が**明く**。バスのせきが**空く**。校門が**開く**。

時

日(ひ)の部・10画
左右型／丨(たてぼう)

くん とき　小さい時の写真をみる。
時がたつのは早い。
おん ジ　時間がないので、あわてててとびだした。

いみ **❶とき** ● 時間・時期・時局・時限・時刻・時差・時速・時日・時報・常時・即時・同時・日時・時計・時雨　**❷そのころ** ● 時代・時分・時流・往時・当時・幼時

● **特別な読み**…時計・(時雨)

なりたち

日

お日さまのかたち。

と

寺

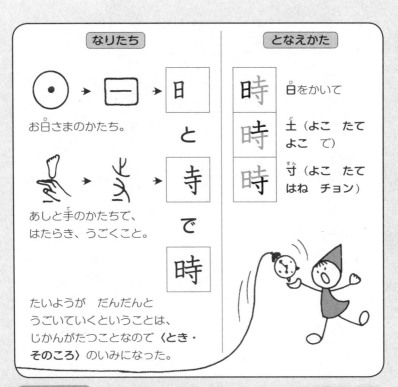

あしと手のかたちで、
はたらき、うごくこと。

で

時

たいようが　だんだんと
うごいていくということは、
じかんがたつことなので **〈とき・そのころ〉** のいみになった。

となえかた

時	日をかいて
時	土（よこ　たて　よこ　で）
時	寸（よこ　たて　はね　チョン）

クイズ　時は□なり　□に入るのは？　①天　②人　③金

晴

日(ひ)の部(ぶ)・12画(かく)

左右型(さゆうがた)／丨(たてぼう)

くん はれる　友(とも)だちの証言(しょうげん)によって、ぼくのうたがいが**晴(は)れ**た。

はらす　**気晴(きば)らし**に、散歩(さんぽ)にでかける。

おん セイ　ひさしぶりの**晴天(せいてん)**だ。

いみ **❶はれ・はれる**●晴(は)れ間(ま)・日本晴(にほんば)れ・晴雨(せいう)・晴天(せいてん)・晴夜(せいや)・晴朗(せいろう)・快晴(かいせい)　**❷心(こころ)がさっぱりする**●晴(は)れ晴(ば)れ・気晴(きば)らし　**❸おもてだった**●晴(は)れ着(ぎ)・晴(は)れ姿(すがた)・晴(は)れ舞台(ぶたい)

なりたち

日

お日(ひ)さまのかたち。

と

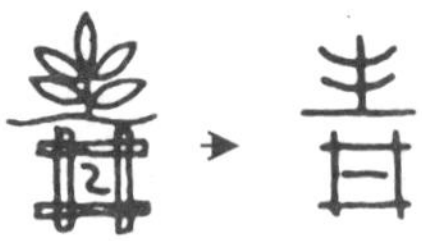

青

くさと　いどのかたちで、くさの色(いろ)と水(みず)の色(いろ)から、あおいこと。

で

晴

たいようが　でているときの空(そら)のあおさのことで**〈はれ〉**のいみをあらわす。

となえかた

晴	日(ひ)をかいて
晴	よこ　たて よこ　よこ
晴	月(つき)をかく

さんこう　晴の　はんたいの　いみの字(じ)…**雨**

曜

日(ひ)の部・18画
左右型／｜(たてぼう)

くん ―――

おん ヨウ　**月曜日**は、スーパーへ買いものにいく。
毎週、**曜日**をきめて図書館へいく。
七曜表とは、カレンダーのこと。
この店は、**日曜**祝日はお休みです。

いみ ようび ● 曜日・七曜表・土曜・日曜

なりたち

→ 日

お日さまのかたち。

と

→ 翟

はねのかたちと、
とりのかたち。

で

曜

とりが　はねをひろげた
ときの　うつくしさのように、
日が　かがやく　ようすから
「かがやく」のいみとなり、いまは
〈ようび〉のいみでつかわれる。

となえかた

曜	日をかいて
曜	ヨ　ヨ
曜	イに てん　一
曜	**たて**ぼう かいて
曜	そしてさいごに **よこ3**ぼん

きを　つけよう 曜の「日」を「目」と　しない。

春

日（ひ）の部・9画

上下型／一（よこぼう）

くん はる　**春風**は、あたたかい。
青年期は人生の**春**だ。

おん シュン　**春分の日**に、ぼたもちをたべた。
塾の**春期講習**をうける。

いみ **❶はる（四季のひとつ・三、四、五月の三か月）**●春風（春風）・春先・春雨・小春・春季・春期・春秋・春暖・春分・春眠・早春・晩春・立春　**❷年のはじめ**●賀春・迎春・新春　**❸若く元気な年ごろ**●思春期・青春

なりたち

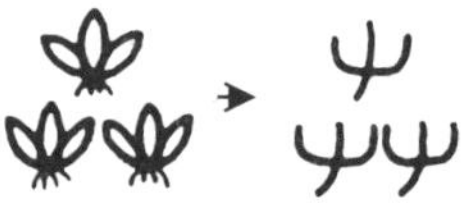

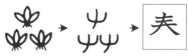

くさのめが、たくさんでたかたち。

夫

と

お日さまのかたち。

日

で

春

あたたかい日のひかりで、草や木が　めをだしはじめる　きせつのことから**〈はる〉**のいみになった。

となえかた

春　よこぼう3ぼん

春　人をかき

春　したにかん字の日をいれる

きを　つけよう　春の「日」を「目」と　しない。

昼

日(ひ)の部(ぶ)・9画(かく)
上下型(じょうげがた)／一(よこぼう)

くん ひる　つかれたので**昼寝**(ひるね)をした。
お昼(ひる)は何(なに)をたべましたか。
おじいさんは、**昼間**(ひるま)からいねむりをしている。

おん チュウ　**昼食**(ちゅうしょく)にパンをたべた。
昼夜(ちゅうや)のべつなく、はたらく。
午後一時(ごごいちじ)という**白昼**(はくちゅう)、銀行(ぎんこう)に強盗(ごうとう)が入(はい)った。

いみ ひる・ひるま・夜(よ)があけて日(ひ)がしずむまで ● 昼下(ひるさ)がり・昼過(ひるす)ぎ・昼寝(ひるね)・昼間(ひるま)(昼間(ちゅうかん))・昼飯(ひるめし)・昼休(ひるやす)み・真昼(まひる)・昼食(ちゅうしょく)・昼夜(ちゅうや)・白昼(はくちゅう)

なりたち

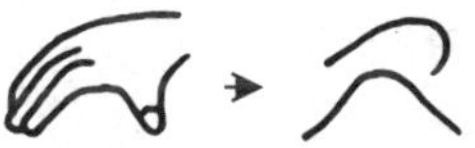
→ 尺

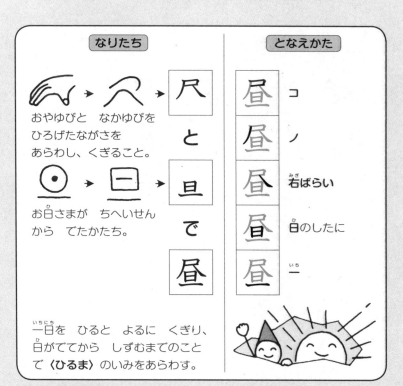

おやゆびと　なかゆびを
ひろげたながさを
あらわし、くぎること。

と

→ 旦

お日(ひ)さまが　ちへいせん
から　でたかたち。

で

昼

一日(いちにち)を　ひると　よるに　くぎり、
日(ひ)がでてから　しずむまでのこと
で〈**ひるま**〉のいみをあらわす。

となえかた

昼 コ
昼 ノ
昼 右(みぎ)ばらい
昼 日(ひ)のしたに
昼 一(いち)

きを　つけよう　昼の「旦」を「且」と　しない。

星

日（ひ）の部（ぶ）・9画（かく）
上下型（じょうげがた）／丨（たてぼう）

くん ほし　**星祭り**（ほしまつり）に、みんなでねがいごとを書（か）いた。
しあわせな**星**（ほし）のもとに生（う）まれる。

おん セイ　夏（なつ）の**星座**（せいざ）を調（しら）べる。
（ショウ）　西（にし）の空（そら）に、**宵の明星**（よいのみょうじょう）がでる。

いみ ❶ほし ● 星空（ほしぞら）・星祭り（ほしまつり）・星雲（せいうん）・星座（せいざ）・星図（せいず）・火星（かせい）・金星（きんせい）・恒星（こうせい）・人工衛星（じんこうえいせい）・明星（みょうじょう）・流星（りゅうせい）・惑星（わくせい）　❷としつき ● 星霜（せいそう）　❸めあて ● 図星（ずぼし）
❹偉大な人（いだいなひと） ● 巨星（きょせい）

なりたち

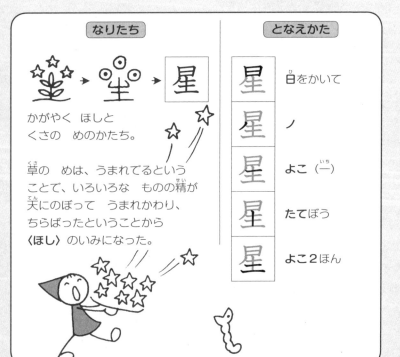

かがやく　ほしと
くさの　めのかたち。

草（くさ）の　めは、うまれでるという
ことで、いろいろな　ものの精（せい）が
天（てん）にのぼって　うまれかわり、
ちらばったということから
〈ほし〉のいみになった。

となえかた

星	日（ひ）をかいて
星	ノ
星	**よこ**（一（いち））
星	**たて**ぼう
星	**よこ2**ほん

クイズ　「**星の数ほど**（ほしのかずほど）」の　いみは？　①多（おお）い　②少（すく）ない　③細（こま）かい

《けいさん　クイズ》だよ。
できるかしら？

こたえは
189ページ

多

夕(た)の部・6画

□その他型／ノ(ななめぼう)

くん おおい　きょうは、お休みの人が**多い**。
ことしは雪が**多い**。

おん タ　がけくずれで**多数**のけが人がでた。
年のくれは**多忙**だ。
ピアノも野球もじょうずで、**多才**な人だ。

いみ **おおい・たくさん** ● 多額・多感・多幸・多恨・多才・多彩・多産・多湿・多種・多少・多数・多大・多難・多人数・多年・多忙・多面・多用・多様・多量・過多・雑多・大多数

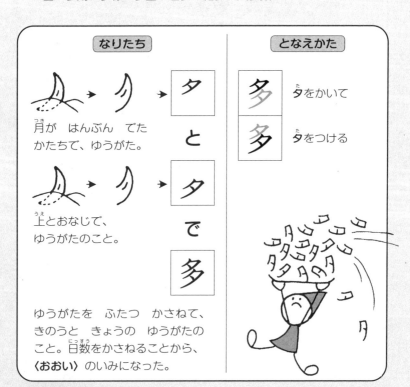

なりたち

夕

月が　はんぶん　でた
かたちで、ゆうがた。

と

夕

上とおなじで、
ゆうがたのこと。

で

多

ゆうがたを　ふたつ　かさねて、
きのうと　きょうの　ゆうがたの
こと。日数をかさねることから、
〈おおい〉のいみになった。

となえかた

多　**夕**をかいて

多　**夕**をつける

さんこう　多の　はんたいの　いみの字…**少**

外

夕(た)の部・5画

左右型／ノ(ななめぼう)

くん そと　家の**外**に物置がおいてある。

ほか　思いの**外**、テストの点数がわるかった。

はずす　居間のカーテンを**外す**。

はずれる　天気予報が**外れる**。

おん ガイ　はじめて**外国旅行**をする。

（ゲ）　おじは、大学病院の**外科**の医師だ。

いみ **❶そと・そとがわ** ● 外側・外形・外見・外部・外野・外科・屋外・内外　**❷はずす・とりのける** ● 除外・選外・疎外　**❸よそ・ほか** ● 外交・外国・外出・外食・外人・外遊・外来・以外・海外・国外

なりたち

夕

月が　はんぶん　でた
かたちで　ゆうがた。

と

卜

かめの　こうらをやいて
できた　ひびのかたちで、
うらなうこと。

で

外

ゆうがた、かめのこうらをやいて
うらなうと、ひびが　そとがわに
あらわれることから〈そと〉の
いみになった。

となえかた

外　かたかなで　夕

外　卜とかく

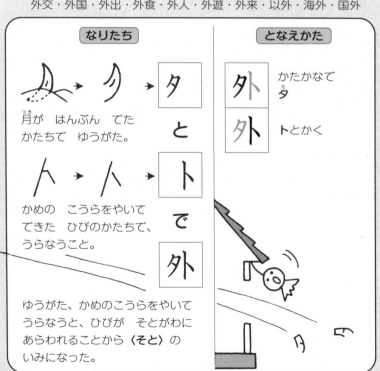

さんこう　外の　はんたいの　いみの字…内

朝

月（つき）の部（ぶ）・12画（かく）

左右型（さゆうがた）／一（よこぼう）

くん あさ　森（もり）のむこうから**朝日**（あさひ）がのぼってくる。

朝寝坊（あさねぼう）して、ちこくした。

おん チョウ　**朝食**（ちょうしょく）は毎日（まいにち）たべよう。

冬（ふゆ）の**朝礼**（ちょうれい）は、いやだなあ。

いみ ❶**あさ** ●朝市（あさいち）・朝方（あさがた）・朝寝坊（あさねぼう）・朝晩（あさばん）・朝日（あさひ）・朝夕（あさゆう）・朝会（ちょうかい）・朝刊（ちょうかん）・朝食（ちょうしょく）・朝礼（ちょうれい）・早朝（そうちょう）・翌朝（よくちょう）・今朝（けさ） ❷**天子（てんし）が政治（せいじ）をするところ・そのじだい** ●朝廷（ちょうてい）・王朝（おうちょう）・帰朝（きちょう）・平安朝（へいあんちょう）・来朝（らいちょう）

●**特別（とくべつ）な読（よ）み**…今朝（けさ）

なりたち

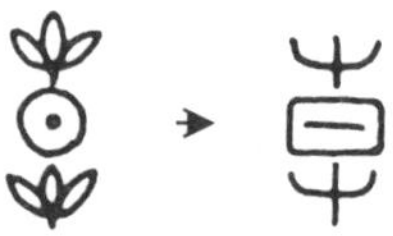

→ 𠦝

くさのあいだから
日（ひ）がでたかたち。

と

→ 月

山（やま）の　むこうにある、
みかづきの　かたち。

で

朝

くさの　あいだから　日（ひ）が
でてきたとき、まだ　月（つき）が
しずみきらないでいるようすで
〈あさ〉のいみをあらわす。

となえかた

朝　よこ　たて

朝　日（ひ）をかき

朝　よこでたて

朝　右（みぎ）におおきく
月（つき）をかく

さんこう　朝の　はんたいの　いみの字（じ）…夕

夜

夕(た)の部・8画
上下型／丶(てん)

くん よ　明るい**月夜**の道をあるいて帰る。
よる　**夜**の空に、星がまたたいている。
おん ヤ　**十五夜**お月さま。
夜食にたべるラーメンはおいしい。

いみ **よる** ● 夜明け・夜空・夜中・夜道・月夜・夜学・夜間・夜業・夜勤・夜景・夜食・夜半・夜分・夜来・夜話(夜話)・今夜・昨夜・十五夜・除夜・深夜・前夜・昼夜・日夜・連夜

なりたち

夜

わきの下に、子どもを
かかえて　ねている
かたちと　月のかたち。

おとなも　子どもも、やすむのは
月の　でている　じかんだという
ところから〈よる〉をあらわした。

となえかた

てん　一に
イをかいて
かなの夕に
右ばらい

きを　つけよう　夜の「亠」を「宀」と　しない。

雪

雨（あめ）の部・11画
上下型／一（よこぼう）

くん ゆき　大きな**雪だるま**に目と口をつけた。
雪国の子はスキーがうまい。
雪合戦をしてあそぶ。

おん セツ　**新雪**をふむ。
昨日からの**積雪量**が、一メートルをこえた。

いみ ゆき ● 雪明かり・雪合戦・雪国・雪景色・雪空・雪だるま・雪見・淡雪・大雪・粉雪・小雪・白雪・根雪・雪害・銀雪・降雪・残雪・除雪・新雪・積雪・風雪・防雪林・雪崩・吹雪

●**特別な読み**…（雪崩（なだれ）・吹雪（ふぶき））

なりたち

→ 雨

そらから　あめが
ふるかたち。

と

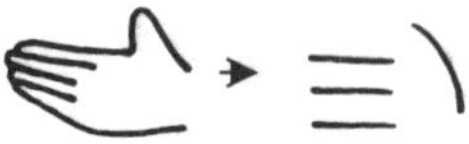

→ ヨ

右手を　よこからみた
かたち。

で

雪

あめのように　天からふってきて、
手をよこにしても　のせることの
できる〈**ゆき**〉のことをあらわす。

となえかた

雪	**よこ**ぼう
雪	**ワ**をかき
雪	**たて**ぼうひいて
雪	**チョン　チョン** **よっ**つ
雪	**ヨ**の字をつける

きを　つけよう　雪の「ヨ」を「ヨ」と　しない。

雲

雨(あめ)の部・12画

上下型／一(よこぼう)

くん くも　雲をつくような高い山。

雲か、かすみのように消えた。

おん ウン　山のいただきから**雲海**をみおろす。

はげしい雨と**雷雲**がやってきた。

いみ ❶くも ● 雲間・雲行き・入道雲・雲海・暗雲・黒雲(黒雲)・積雲・白雲(白雲)・雷雲(雷雲)　❷身分のたかいことのたとえ ● 雲居・雲客・雲上人　❸くものようなもの ● 雲散霧消・星雲・風雲

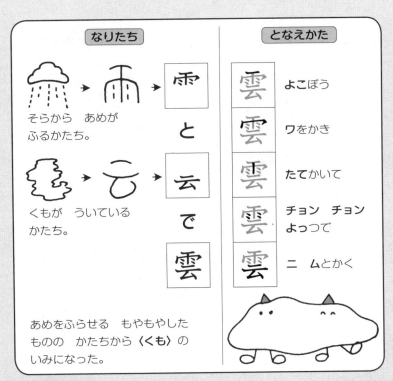

なりたち

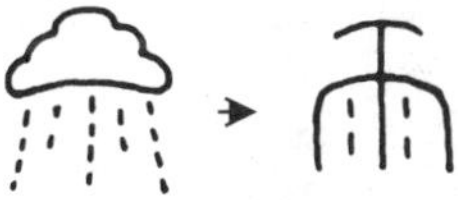

そらから　あめが
ふるかたち。

くもが　ういている
かたち。

雨 と 云 で 雲

あめをふらせる　もやもやした
ものの　かたちから〈くも〉の
いみになった。

となえかた

よこぼう

ワをかき

たてかいて

チョン　チョン
よっつで

ニ　ムとかく

きを　つけよう　雲の「云」の　下のよこぼうは、上のよこぼうより　長く書く。

電

雨(あめ)の部・13画(かく)

上下型(じょうげがた)／一(よこぼう)

くん ――――

おん デン　**停電**(ていでん)で町(まち)がまっくらだ。
電車(でんしゃ)も、とまってしまった。
電池(でんち)と**豆電球**(まめでんきゅう)を買(か)いにいく。
電話(でんわ)で友(とも)だちと話(はな)す。

いみ ❶**いなずま・いなびかり**●電光(でんこう)・雷電(らいでん)　❷**でんき**●電圧(でんあつ)・電気(でんき)・電器(でんき)・電球(でんきゅう)・電源(でんげん)・電子(でんし)・電車(でんしゃ)・電信(でんしん)・電線(でんせん)・電送(でんそう)・電池(でんち)・電柱(でんちゅう)・電動機(でんどうき)・電熱(でんねつ)・電波(でんぱ)・電報(でんぽう)・電流(でんりゅう)・電力(でんりょく)・電話(でんわ)・送電(そうでん)・停電(ていでん)・発電所(はつでんしょ)・豆電球(まめでんきゅう)

なりたち

そらから　あめが
ふるかたち。

と

いなびかりの　かたち。

で

電

あめが　ふるときに
おこる　でんきをおびた
いなびかりのことから**〈いなずま・でんき〉**のいみになった。

となえかた

電	よこぼう ワをかき
電	なかしきり
電	てんてん よっつ
電	日(ひ)をかいて
電	たてまげはねて 電気(でんき)の電(でん)

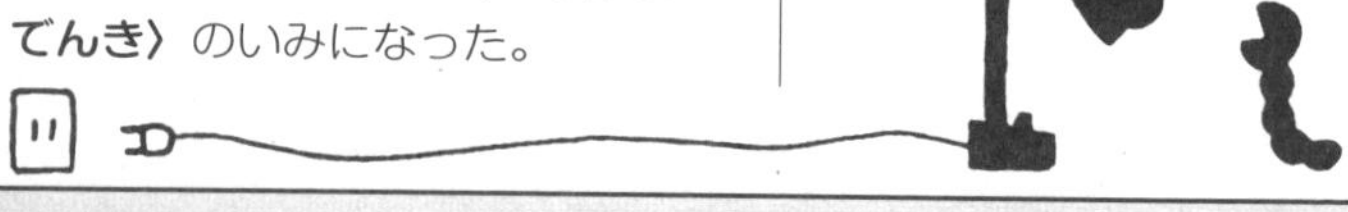

クイズ　電光(でんこう)□火(か)　□に入(はい)るのは？　①石(せっ)　②岩(がん)　③発(はっ)

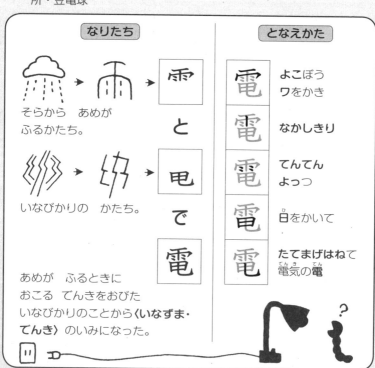

風

風（かぜ）の部・9画
□ その他型／ノ（ななめぼう）

くん かぜ　さわやかな**そよ風**がふく。
　かざ　**風向き**がかわる。

おん フウ　うつくしい**風景**を見ると、気分がすっきりする。
　（フ）　秋分の日をすぎると、秋の**風情**がいちだんとふかまる。

いみ ❶**かぜ** ● 風上・風下・風向き・そよ風・風向・風車（風車）・風水害・風雪・風船・風速・風力・強風・台風・風邪 ❷**ようす・けしき** ● 風格・風景・風体・風土・風流・風情 ❸**しきたり・ならわし** ● 風習・風俗・校風・古風・洋風

● **特別な読み**…（風邪）

なりたち

びゅーとふく　かぜと
虫のかたち。

かぜは　きせつにより、いろいろな　音をたてて　ふいてくる。その　かぜと　ともに　いろいろな虫が　でてくる。それで、かぜと　虫の　かたちで〈**かぜ**〉をあらわす。

となえかた

ノをたてて
かぎまげ
そとはね
ノに
虫いれる

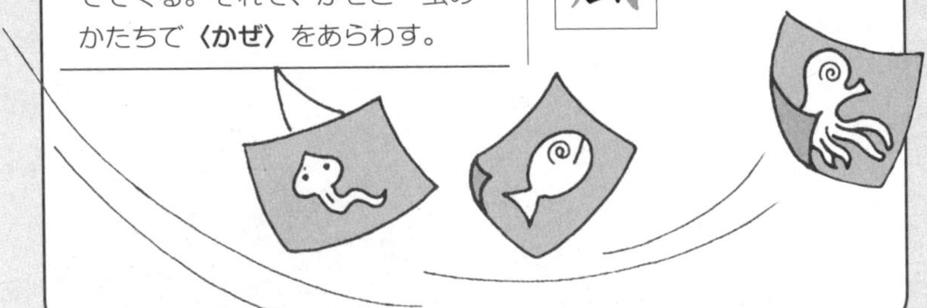

きを　つけよう　**風**の「虫」の　まんなかの　たてぼうは、上に　つきでない。

池

水(みず)の部(ぶ)・6画(かく)
左右型(さゆうがた)／丶(てん)

くん いけ　**池**(いけ)の中(なか)に、カエルが三(さん)びきとびこんだ。
古池(ふるいけ)の水(みず)をぬいて、そうじをした。

おん チ　このところの雨(あめ)で、**貯水池**(ちょすいち)の水(みず)がいっぱいになった。
リモコンの**電池**(でんち)を入(い)れかえる。

いみ ❶**いけ** ● 古池(ふるいけ)・用水池(ようすいいけ)・池中(ちちゅう)・池畔(ちはん)・貯水池(ちょすいち)　❷**たくわえたところ** ● 電池(でんち)

なりたち

→ 氵

水(みず)の　ながれのかたち。

と

→ 也

へびのかたち。

で

池

かみさまの　つかいの　へびが
すんでいる　水(みず)たまりという
ことから〈**いけ**〉のいみになった。

となえかた

池	**さんずい**に （**シ**をかいて）
池	**よこまげはね**て
池	**たて**かいて
池	そしてさいごに **たてまげはねる**

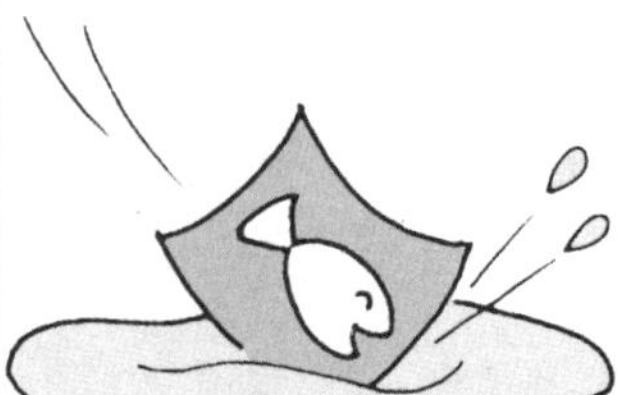

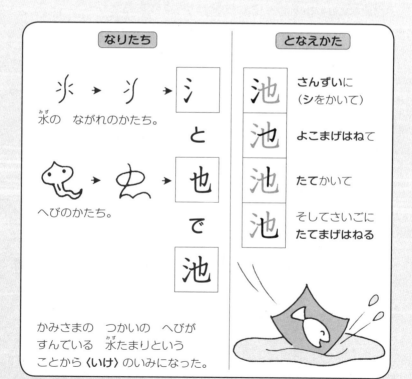

きを　つけよう　**池**と　にている字(じ)…**地**

海

水(みず)の部・9画
左右型／丶(てん)

くん うみ　**海辺**で、貝ひろいをした。
エメラルド色の**海**にかこまれた島。

おん カイ　**海水浴**をして、まっくろに日焼けした。

いみ ❶**うみ** ● 海辺(海辺)・海域・海運・海外・海岸・海峡・海上・海水・海水浴・海賊・海中・海底・海面・海洋・海流・航海・大海・領海・臨海・海女・海士・海原　❷**一面にひろがったもの** ● 雲海・樹海・人海

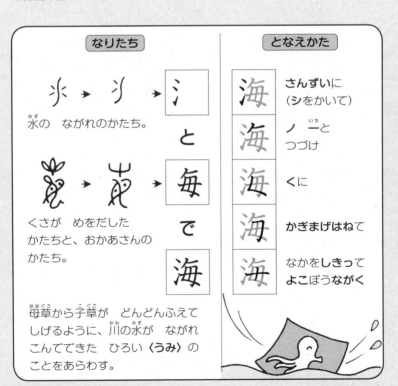

● **特別な読み**…(海女・海士・海原)

なりたち

氵

水の　ながれのかたち。

と

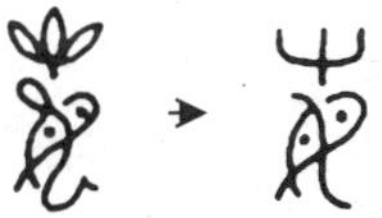

毎

くさが　めをだした
かたちと、おかあさんの
かたち。

で

海

母草から子草が　どんどんふえて
しげるように、川の水が　ながれ
こんでできた　ひろい〈うみ〉の
ことをあらわす。

となえかた

海　**さんずい**に
(**シ**をかいて)

海　ノ　一と
つづけ

海　**く**に

海　**かぎまげはね**て

海　なかを**しきって**
よこぼう**ながく**

きを　つけよう　**海**の「毋」を「母」と　しない。

汽

水(みず)の部(ぶ)・7画(かく)
左右型(さゆうがた)／丶(てん)

くん ―――

おん キ　畑(はたけ)のむこうで、**汽車(きしゃ)**の**汽笛(きてき)**がなった。
はじめて**汽船(きせん)**にのった。
汽水湖(きすいこ)とは、海水(かいすい)がまざっている湖(みずうみ)のこと。

いみ **すいじょうき・みずのじょうはつしたもの**●汽車(きしゃ)・汽水(きすい)・汽水湖(きすいこ)・汽船(きせん)・汽笛(きてき)

なりたち

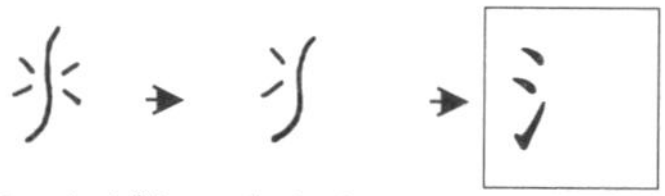

水(みず)の　ながれのかたち。

と

はいた　いきが、
まがって　でるかたち。

で

汽

水(みず)から　いきのように　もやもや
と　まがりながら　でてくるもの
〈すいじょうき〉のいみになった。

となえかた

汽　さんずいに
（シをかいて）

汽　ノ　で

汽　よこ２ほん

汽　かぎまげはねる

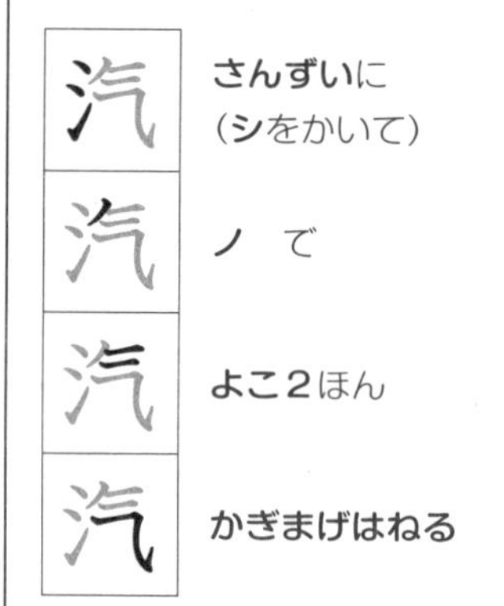

きを　つけよう　汽の「气」を「気」と　しない。

活

水(みず)の部(ぶ)・9画(かく)
左右型(さゆうがた)／丶(てん)

くん ―――

おん **カツ** 漢字(かんじ)の本(ほん)を**活用**(かつよう)する。
学級委員(がっきゅういいん)として**活躍**(かつやく)する。
アリの**生活**(せいかつ)をかんさつする。
外(そと)で**活発**(かっぱつ)にあそぶ。

いみ **❶いきる・いかす**● 活火山(かっかざん)・活殺(かっさつ)・活用(かつよう)・活路(かつろ)・死活(しかつ)・復活(ふっかつ) **❷くらす**● 自活(じかつ)・生活(せいかつ) **❸いきいきしている**● 活気(かっき)・活動(かつどう)・活発(かっぱつ)・活躍(かつやく)・活力(かつりょく)・快活(かいかつ)

なりたち

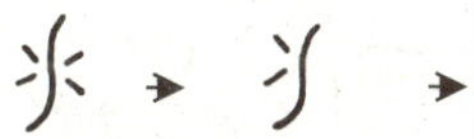

→ 氵

水(みず)の　ながれのかたち。

と

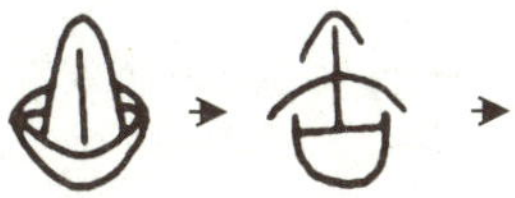

→ 舌

くちびるから「した」を
おしだす　かたち。

で

活

ぺろぺろと　さかんにうごく
したのように、さかんにうごく
水(みず)のことから **〈いきる・いきいきしている〉** といういみをあらわす。

となえかた

活 **さんずいに**
（シをかいて）

活 **ノ**

活 **よこ**

活 **たてで**

活 口(くち)を　かく

きを　つけよう 活の「千」を「干」と　しない。

回

口（くにがまえ）の部・6画

□その他型／｜（たてぼう）

くん まわる　月は地球のまわりを**回る**。

まわす　本をクラスで**回し**て読む。

あれこれと気を**回す**。

おん カイ　こまがたおれないのは、**回転**する力があるからだ。

（エ）　ほとけさまに**回向**する。

いみ ❶**まわす・まわる**●回り道・回転・回文・回遊・回覧・回路・巡回・転回　❷**もどす・もどる**●回向・回収・回送・回想・回答・回復　❸**かい・たび**●今回・最終回・次回・数回・何回

なりたち

うずをまいている
かたち。

ぐるぐる　まわっている　うずの
かたちで〈**まわる**〉のいみをあら
わす。

となえかた

おおきい
たて　かぎ

なかに口

よこ一かいて
そこふさぐ

つかいわけ　火の**回り**がはやい。池の**周り**に花をうえる。

谷

谷（たに）の部（ぶ）・7画（かく）

□ その他型（たがた）／ノ（ななめぼう）

くん たに　**谷川**（たにがわ）のながれの音（おと）がきこえてくる。
細（ほそ）い山道（やまみち）が、**谷間**（たにま）に続（つづ）いている。
県（けん）ざかいの、**谷あい**（たに）の村（むら）をたずねる。

おん（コク）　暑（あつ）いときは、**渓谷**（けいこく）へいくとすずしい。
トロッコ列車（れっしゃ）が、**峡谷**（きょうこく）を走（はし）りぬける。

いみ たに● 谷（たに）あい・谷風（たにかぜ）・谷川（たにがわ）・谷底（たにそこ）・谷間（たにま）・峡谷（きょうこく）・渓谷（けいこく）・山谷（さんこく）

なりたち

山（やま）と山（やま）のあいだの
ひくいところにある、
水（みず）の　でぐちのかたち。

雨水（あまみず）やわき水（みず）は、山（やま）と山（やま）のあいだ
の　くぼんだ　たにまをながれる
ので〈**たに**〉のいみになった。

となえかた

谷	八（は）をかいて
谷	**ひとやね**つけて
谷	口（くち）をかく

きを　つけよう　**谷**の「へ」を、「八」と　しない。

冬

夂(ふゆがしら)の部・5画(ぶ・かく)

□ その他型(たがた)／ノ(ななめぼう)

くん **ふゆ**　**真冬**(まふゆ)になると、北国(きたぐに)の地面(じめん)はこおりつく。
冬着(ふゆぎ)と**冬物**(ふゆもの)は、意味(いみ)がにている。

おん **トウ**　あなの中(なか)で、**冬眠**(とうみん)するヒグマたち。

いみ **ふゆ(四季(しき)のひとつ・十二(じゅうに)、一(いち)、二月(にがつ)の三(さん)か月(げつ))** ●冬枯(ふゆが)れ・冬着(ふゆぎ)・冬木立(ふゆこだち)・冬空(ふゆぞら)・冬場(ふゆば)・冬物(ふゆもの)・冬休(ふゆやす)み・冬山(ふゆやま)・真冬(まふゆ)・冬季(とうき)・冬期(とうき)・冬至(とうじ)・冬眠(とうみん)・越冬(えっとう)・旧冬(きゅうとう)・厳冬(げんとう)・初冬(しょとう)・晩冬(ばんとう)・立冬(りっとう)

なりたち

→ 夂

いずみの　でぐちが
ふさがったかたち。

と

→ 冫

水(みず)の　こおりはじめの
すじのかたち。

で

冬

いずみの出口(でぐち)が こおり、ふさがる
ような　さむい　きせつの　こと
から〈ふゆ〉のいみになった。

となえかた

クに

右(みぎ)ばらい

てんてんつける

きを　つけよう　冬の「⺀」を「ソ」と　しない。

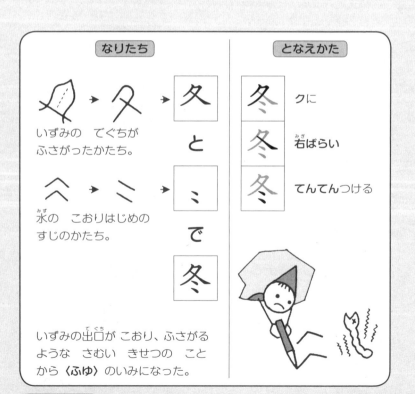

原

厂(がんだれ)の部(ぶ)・10画(かく)

□その他型(たがた)／一(よこぼう)

くん はら　**野原**(のはら)は、一面(いちめん)の花(はな)ざかりだ。
原(はら)**っぱ**でねころぶ。

おん ゲン　**高原**(こうげん)で小休止(しょうきゅうし)をとる。映画(えいが)よりも**原作**(げんさく)のほうがおもしろい。
原油(げんゆ)をはこぶタンカー。
火事(かじ)の**原因**(げんいん)は、子(こ)どもの火遊(ひあそ)びだった。

いみ **❶はら・のはら**●原(はら)っぱ・野原(のはら)・原野(げんや)・荒原(こうげん)・高原(こうげん)・草原(そうげん)・平原(へいげん)・河原(かわら)・川原(かわら)・海原(うなばら)　**❷もと・おこり**●原因(げんいん)・原稿(げんこう)・原作(げんさく)・原産地(げんさんち)・原子(げんし)・原始(げんし)・原住民(げんじゅうみん)・原色(げんしょく)・原点(げんてん)・原動力(げんどうりょく)・原文(げんぶん)・原油(げんゆ)・原理(げんり)・原料(げんりょう)・起原(きげん)

●**特別**(とくべつ)**な読**(よ)**み**…河原(かわら)・川原(かわら)・(海原(うなばら))

なりたち

がけと　いずみの
かたち。

水(みず)のわく〈**もと**〉のことだったが、いずみは　やがて　ひろいへいやをながれるところから〈**のはら**〉のいみもあらわした。

となえかた

原	よこ　一(いち)
原	ノをつけ
原	白(しろ)に
原	小(しょう)

きを　つけよう　原の「小」を「水」と　しない。

東

木(き)の部・8画

□その他型／一(よこぼう)

くん ひがし　**東**の空が朝やけで、まっかだ。

おん トウ　**東北地方**を旅行する。

東洋と西洋の文化がであう。

いみ ❶ひがし ● 東海・東経・東国・東西・東上・東南・東風(東風)・東方・東北・東奔西走・関東 ❷ヨーロッパからみてひがしのほう ● 東洋・極東・近東・中東

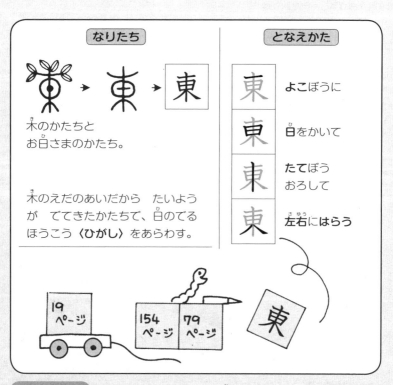

なりたち

木のかたちと
お日さまのかたち。

木のえだのあいだから　たいようが　でてきたかたちで、日のでるほうこう〈ひがし〉をあらわす。

となえかた

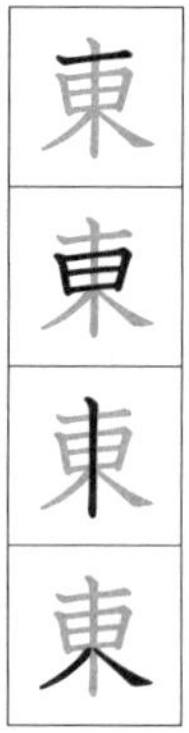

よこぼうに

日をかいて

たてぼう
おろして

左右にはらう

さんこう　東の　はんたいの　いみの字…西

里

里（さと）の部・7画
その他型／丨（たてぼう）

くん さと　正月には毎年、母の**里**にいく。
雪ぶかい**山里**の温泉宿にとまる。

おん り　夏休みには、父の**郷里**に帰る。

いみ **❶さと・いなか**● 里山・人里・村里・山里　**❷生まれたいえや、そのいえのあるところ**● 里帰り・里心・古里・郷里　**❸子どもをあずけ、そだててもらういえ**● 里親・里子　**❹きょりをはかるむかしの単位**● 里程・一里塚・万里

なりたち

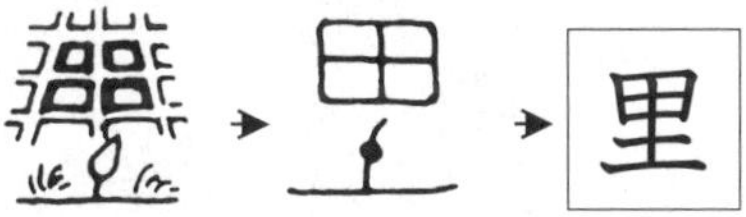

たんぼのかたちと、
土の上に　めがでたかたち。

たんぼや　はたけのあるところということから**〈さと・いなか〉**のいみをあらわす。

となえかた

里	日をかいて
里	**たてぼうながく**
里	**よこ2ほん**

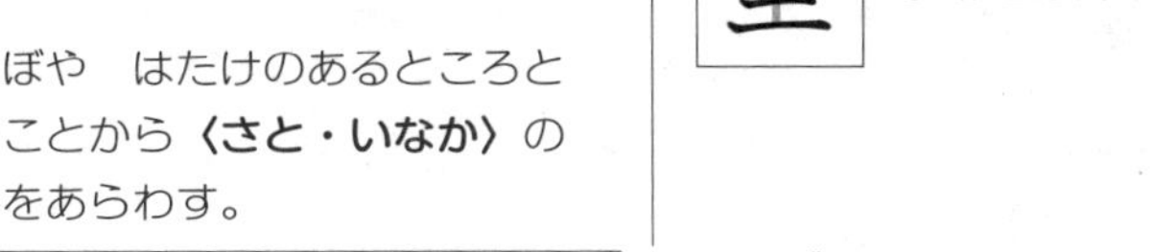

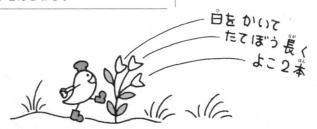

きを　つけよう　**里**の　いちばん下のよこぼうは、上のよこぼうより　長く書く。

野

里（さと）の部・11画
左右型／｜（たてぼう）

くん の　**野原**（のはら）に、タンポポがいっぱいだ。
野山（のやま）が春（はる）らしくなった。

おん ヤ　**山野**（さんや）を自由（じゆう）に走（はし）りまわる。
野性味（やせいみ）あふれる人（ひと）がらの冒険家（ぼうけんか）。

いみ **❶の・のはら** ● 野原（のはら）・野山（のやま）・野外（やがい）・野球（やきゅう）・原野（げんや）・広野（こうや）・山野（さんや）・平野（へいや）・野良（のら）　**❷自然のままの** ● 野放し（のばなし）・野犬（やけん）・野菜（やさい）・野獣（やじゅう）・野人（やじん）・野生（やせい）・野性（やせい）・野草（やそう）・野鳥（やちょう）　**❸いやしい・上品（じょうひん）でない** ● 野蛮（やばん）・野卑（やひ）・野郎（やろう）・粗野（そや）　**❹だいそれた** ● 野心（やしん）・野望（やぼう）　**❺政治（せいじ）のしくみのそと** ● 野党（やとう）・在野（ざいや）

●**特別（とくべつ）な読（よ）み**…（野良（のら））

なりたち

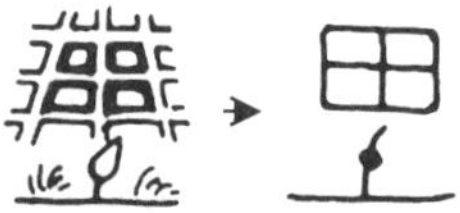

里

田（た）と土（つち）をあわせた
かたちで、むらざとのこと。

と

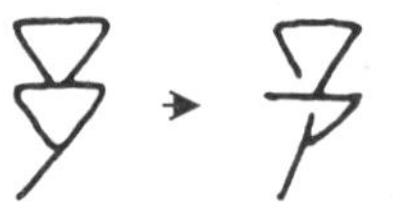

予

おなじような　しなものの
かたほうを　ひっぱる
かたちで、のびる・
のばすこと。

で

野

人（ひと）のすむ　むらざとから、ずっと
のびていった　ところのことで
〈の・のはら〉 のいみをあらわす。

となえかた

日（ひ）に
たてぼうで
よこ２ほん
マに
フをかいて
たてはねる

きを　つけよう　野の「予」を「矛」と　しない。

画

田（た）の部・8画

その他型／一（よこぼう）

くん ———

おん ガ　画用紙を十まい買う。

カク　旅行の計画をたてる。

いみ ❶くぎり・しきり・くぎる ● 画一・画然・画定・画期的・区画 ❷え・えがくこと ● 画家・画材・画報・画用紙・映画・絵画・水彩画・図画・版画 ❸はかりごと・かんがえをめぐらす ● 画策・企画・計画 ❹かん字をかたちづくる点や線 ● 画数・字画

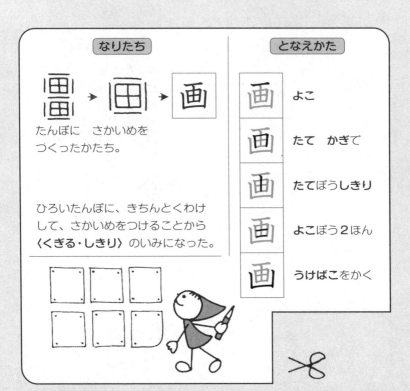

なりたち

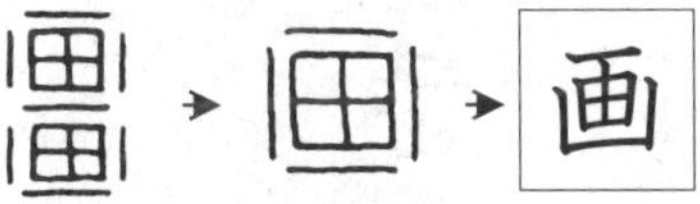

たんぼに　さかいめを
つくったかたち。

ひろいたんぼに、きちんとくわけ
して、さかいめをつけることから
〈くぎる・しきり〉のいみになった。

となえかた

画	よこ
画	たて　かぎで
画	たてぼうしきり
画	よこぼう2ほん
画	うけばこをかく

クイズ　「曜」の画数は何画？　（答えは111ページ）

番

田（た）の部・12画

□ その他型／ノ（ななめぼう）

くん ―――

おん バン　家の門の前で、**見張り番**をする。
ぶらんこの**順番**をまつ。
おじは、山小屋の**番人**だ。
番地をたよりに家をさがす。

いみ ❶**みはり**●番犬・番小屋・番台・番頭・番人・番兵・交番・見張り番・門番　❷**もののじゅんじょ**●番外・番組・番号・番地・番付・一番・欠番・週番・順番・当番・輪番

なりたち

にぎった手をひらいて、
田に　たねをまくようす。

まいた たねが よくそだつよう、
みんなが　じゅんばんに　みはりをすることから**〈みはり・もののじゅんじょ〉**のいみになった。

となえかた

ノ ソ 一
かいて

たてぼうひいて

左右に**はらって**

たんぼの**田**

　きを　つけよう　番の「田」を「甲」「由」「申」と　しない。

岩

山(やま)の部・8画

上下型／丨(たてぼう)

くん いわ　波が**岩**にあたって、くだけちる。
命づなをなして、**岩山**をよじのぼる。

おん ガン　**岩石**の多い、きけんな山道。
火口から、ふきでる**溶岩**。
岩塩をけずって、料理につかう。

いみ いわ ● 岩戸・岩場・岩屋・岩山・岩塩・岩窟・岩石・岩頭・岩壁・火成岩・奇岩・砂岩・水成岩・石灰岩・溶岩

なりたち

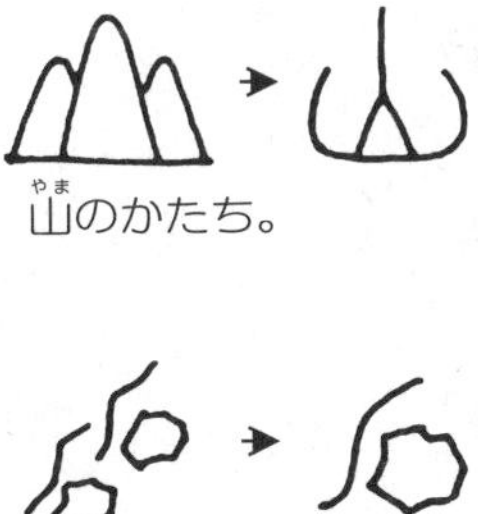

山のかたち。

山

と

いしのかたち。

石

で

岩

山に、石がごつごつとあつまり、かさなっている　かたちから**〈いわ〉**のいみをあらわす。

となえかた

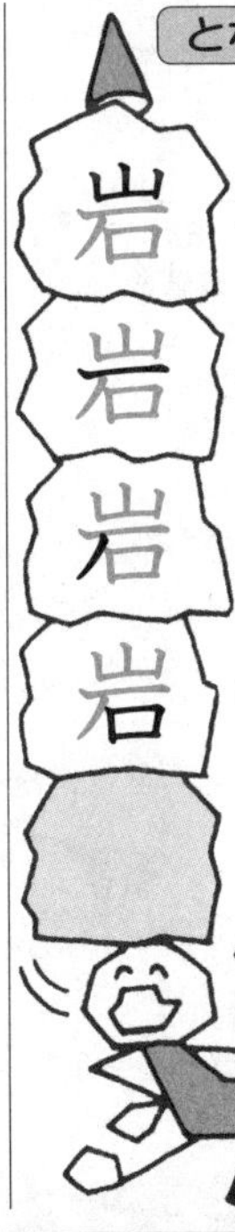

山をかき

よこ一

ノをかき

口いれる

きを　つけよう　**岩**の「石」を「右」と　しない。

黒

黒（くろ）の部・11画（かく）
上下型（じょうげがた）／｜（たてぼう）

くん くろ　店（みせ）の前（まえ）は、**黒山**（くろやま）の人（ひと）だかりだ。
くろい　もくもくと**黒い**（くろい）けむりがでる。
おん コク　太陽（たいよう）の**黒点**（こくてん）は、ふえたりへったりする。
黒板（こくばん）に、らくがきをする。

いみ ❶くろ・くろい● 黒髪（くろかみ）・黒砂糖（くろざとう）・黒字（くろじ）・黒潮（くろしお）・黒船（くろふね）・黒星（くろぼし）・黒目（くろめ）・黒山（くろやま）・黒衣（こくい）・黒雲（こくうん）（黒雲（くろくも））・黒煙（こくえん）・黒点（こくてん）・黒板（こくばん）・暗黒（あんこく）　❷わるい● 黒幕（くろまく）・黒白（こくびゃく）

なりたち

まどのかたちと、下（した）から
火（ひ）が　もえているかたち。

まどの下（した）で火（ひ）をたくと、「すす」
のために、まどがくろくなること
から、〈くろい〉いろのことを
あらわす。

となえかた

黒	ひらたい日（ひ）
黒	**たて**ぼう　まんなか
黒	**よこ２**ほん
黒	したにならべた　**てんよっつ**

さんこう　黒の　はんたいの　いみの字（じ）…白

黄

黄(き)の部・11画
上下型／一(よこぼう)

くん き　**黄色い**タンポポ、ピンクのレンゲ。
(こ)　**黄金**が、ざくざくとでてくる。
おん オウ　中国北部には、**黄土地帯**がひろがっている。
(コウ)　太陽のとおる道が**黄道**。
黄河流域に生まれた文明。

いみ き・きいろの ● 黄身・黄緑・黄金(黄金)・黄色人種・黄土・黄熱病・黄道・黄葉・卵黄・硫黄

●**特別な読み**…(硫黄)

なりたち

二十(廿)の火と　田のかたちで、たくさんの火が　田にひろがること。

田やはたけを　やくときの、くさのもえさかる　火のいろから**〈き・きいろの〉**のいみになった。

となえかた

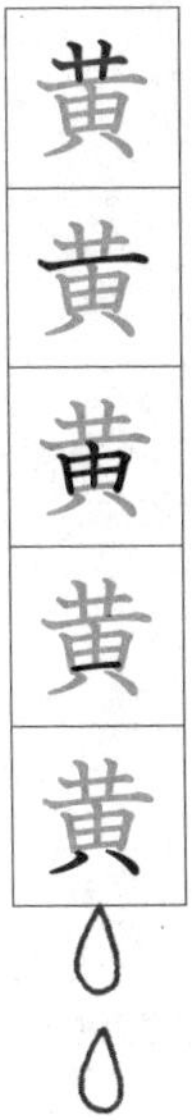

よこ
たて2ほん

よこながく

たて　かぎ
たて　よこ

そこふさぎ

したに
チョン　チョン
八をつける

きを　つけよう　黄の「由」を「田」と　しない。

地

土(つち)の部・6画
左右型／一(よこぼう)

くん ―――

おん チ　春になると、**地中**の虫たちが**地上**にでてくる。
ジ　**地面**から、モグラが頭をだした。

いみ **❶つち・じめん**● 地面・地下・地形・地質・地上・地図・地中・地底・地表・地平線・大地・天地・土地 **❷ところ・ばしょ**● 地元・地域・地点・地方・地名・地理 **❸みぶん・たちば**● 地位・境地 **❹したじ・生まれつき**● 地声・地力・生地・下地 **❺ぬのじ**● 地紋・布地・無地

●**特別な読み**…(意気地・心地)

なりたち

→ 土

じめんから　めがでた
かたちで、土のこと。

と

→ 也

へびのかたち。

で

地

じめんは、へびのように
うねうねしたものなので、土と
へびのかたちから **〈つち・じめん〉**
のいみになった。

となえかた

地　**土へんに**
(**よこ　たて**
もちあげ)

地　**よこまげはね**て

地　**たて**かいて

地　そしてさいごに
たてまげはねる

さんこう　**地**の　はんたいの　いみの字…**天**

場

土(つち)の部・12画

左右型／一(よこぼう)

くん ば　日あたりのよい**場所**に、みんなあつまった。
ぼくは、**場違い**の洋服を着てきたらしい。

おん ジョウ　かけ足で、**運動場**をひとまわりしてきた。

いみ ❶ところ・ばしょ ● 場所・場違い・現場・本場・場外・場内・運動場・会場・工場・戦場・退場・登場・道場・波止場 ❷おり・とき ● 場合・場数・場面・二幕三場

● **特別な読み**…(波止場)

なりたち

→ 土

じめんから　めがでた
かたちで、土のこと。

と

→ 昜

ふきながしの上に、日が
のぼるかたち。

で

場

ふきながしの上に　たかく　日が
のぼるように、たかく土をもった
ところのことで **〈ところ・ばしょ〉**
のいみになった。

となえかた

場	土へんに (よこ　たて もちあげ)
場	日　一をかいて
場	つつみがまえに (ノにかぎまげ はねて)
場	ノをふたつ

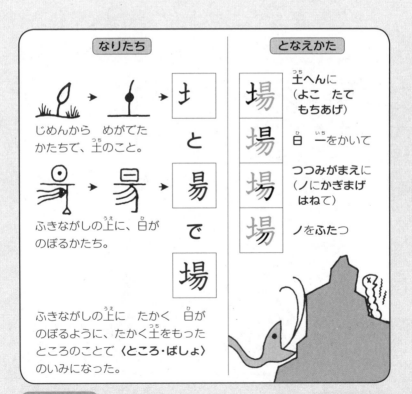

きを　つけよう 場の「土」を「扌」と　しない。

内

冂（どうがまえ）の部・4画

その他型／丨（たてぼう）

くん うち　かばんの**内側**に、白い布がはられている。

おん ナイ　ひさしぶりに**室内**をもようがえする。

（ダイ）　お寺の**境内**であそぶ。

いみ ❶**うち・なか** ● 内側・内気・内科・内外・内閣・内心・内臓・内部・内面・内容・境内・校内・国内・室内・市内・車内・船内・町内　❷**おもてむきにしないこと・こっそり** ● 内祝い・内輪・内規・内示・内緒・内情・内申・内通・内定・内聞・内密　❸**宮中** ● 内裏・内親王・参内

なりたち

家のなかに、カーテンがたれているかたち。

家の入り口に　カーテンがたれているかたちで、**〈うち・なか〉**のいみをあらわす。

となえかた

たて

かぎはねて

人をかく

さんこう　**内**の　はんたいの　いみの字…**外**

社

示（しめす）の部・7画
左右型／丶（てん）

くん やしろ　神さまをまつってある建物が、**社**です。

おん シャ　いとこが食品の**会社**に**入社**した。
出版社の見学で絵本の原画をみた。

いみ **❶土地のかみ・やしろ・おみや**● 社殿・社務所・寺社・神社・大社 **❷同じしごとをするための人びとの集まり**● 社員・社団法人・社長・社友・会社・結社・出版社・新聞社・退社・入社 **❸世の中・人の集まり**● 社会・社交

なりたち

ネ

かみをまつる
さいだんのかたち。

と

土

めが　でるかたちで
土のこと。

で

社

土地のかみをまつる
ところという　ことから
〈やしろ〉のいみになり、
むらむらに　やしろを　たてた
ことから**〈人の集まり〉**のいみも
あらわした。

となえかた

社　**てん**かき

社　**フ**をかき

社　**ト**をかいて
（**しめすへん**）

社　**よこ　たて**
よこで**土**をかく

きを　つけよう　**社**の「ネ」を「ネ」と　しない。

工

工(え)の部(ぶ)・3画(かく)
□その他型(たがた)／一(よこぼう)

くん ―――

おん コウ　図工(ずこう)の時間(じかん)に、モビールをつくった。
ク　工夫(くふう)をこらした、すばらしい紙細工(かみざいく)だ。
ぼくは大工(だいく)さんになりたい。

いみ ❶**ものをつくる**●工夫(くふう)・工面(くめん)・工学(こうがく)・工業(こうぎょう)・工具(こうぐ)・工芸(こうげい)・工作(こうさく)・工事(こうじ)・工場(こうじょう)(工場(こうば))・工費(こうひ)・加工(かこう)・細工(さいく)・人工(じんこう)・図工(ずこう)　❷**ものをつくる人(ひと)**●工員(こういん)・印刷工(いんさつこう)・熟練工(じゅくれんこう)・大工(だいく)・名工(めいこう)

なりたち

ものさしのかたち。

むずかしい　しごとを　するときにつかう、ものさしのことから**〈ものをつくる〉**のいみになった。

となえかた

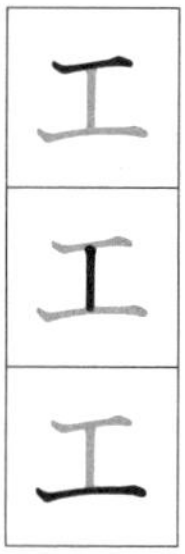

よこぼう
たてで
よこながく

 きを　つけよう　工と　にている字(じ)…土・士

刀

刀(かたな)の部・2画
□その他型／一(よこぼう)

くん かたな　刀は、さむらいのたましいといわれる。
刀は刃が片側に、剣は刃が両側についている。

おん トウ　木刀で、すぶりをする。
刀工正宗がつくった名刀。

いみ かたな・はもの ● 刀剣・刀工・刀身・短刀・彫刻刀・日本刀・抜刀・宝刀・木刀・名刀・竹刀・太刀

●特別な読み…(竹刀・太刀)

なりたち

むかしの中国のかたなのかたち。

となえかた

かぎまげ
はねたら

ノをつける

刀を
166ページに
もっていって
あげなさい

きを　つけよう 刀と　にている字…カ

分

刀（かたな）の部・4画

□その他型／ノ（ななめぼう）

くん わける　ケーキを**分ける**。　わかれる　とちゅうで道が**分かれる**。

わかる　意味が**分かる**。　わかつ　川が町を東西に**分かつ**。

おん ブン　時計を**分**解する。　フン　駅から歩いて五**分**かかる。

ブ　一寸の虫にも五**分**のたましい。

いみ ❶**わける・わかれる・はなれる**● 分解・分割・分業・分校・分散・分子・分担・分布・分母・分野・分類・半分・部分 ❷**ぶんりょう**● 分量・一年分・五人分 ❸**つとめ**● 本分 ❹**身のほど**● 身分
❺**わりあい・たんい**● 七分三分・六時二十分

●**特別な読み**…〈都道府県〉大分

なりたち

八

ぼうを　ふたつに
わけたかたち。

と

刀

かたなのかたち。

で

分

一本のぼうを　かたなで　きって
ふたつにわけることから〈**わける**〉
のいみになった。

となえかた

分　かん字の**八**に

分　**かぎまげはねて**

分　ノをつける

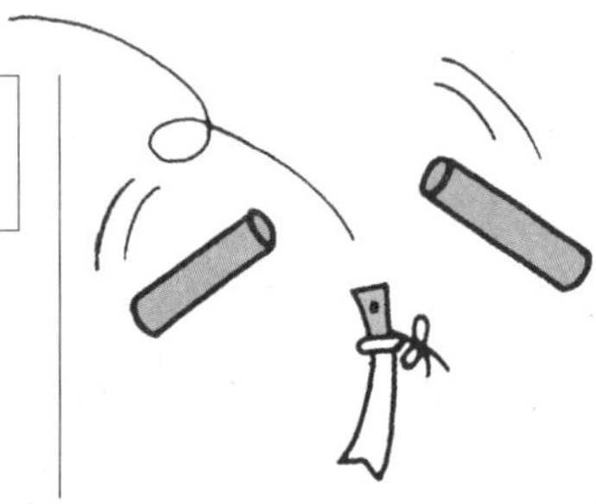

つかいわけ　道が三つに**分かれる**。校門で先生と**別れる**。

切

刀(かたな)の部・4画
左右型／一(よこぼう)

くん きる　紙をはんぶんに**切る**。
きれる　よく**切れる**はさみ。

おん セツ　おばは**親切**な人だ。
病院で**切開手術**をした。
(サイ)　あの話は、もう**一切**しない。

いみ ❶**きる・きざむ**● 切手・切符・切り傷・切り口・切り札・切り身・切れ味・切れ目・切開・切断・切腹 ❷**まぎわになる**● 切実・切迫 ❸**心から・ほんとうに**● 切願・切望・懇切・親切・痛切 ❹**すべて**● 一切・合切

●**送りがなに注意**…「切手」「切符」は、「切っ手」「切っ符」とは書かない。

なりたち

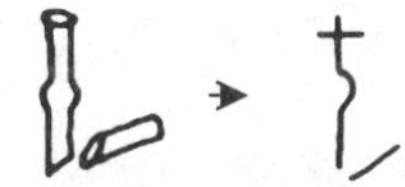

七

ぼうを　きったかたち。

と

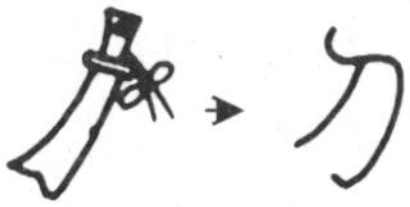

刀

かたなのかたち。

で

切

かたなで　ぼうを　きることから、
〈きる・きざむ〉のいみになった。

となえかた

切　**よこ**
切　**たてまげて** 七をかき
切　**かぎまげ はね**たら
切　ノをつける

きを　つけよう　**切**と　にている字…**功**

まどから　さしこむ
月は？　　　(108)

ふでを　もって
どうしてる？ (49)

とりの　すの　ある
ほうがくは？ (79)

クイズの　のはらだ。
《なりたち　クイズ》を
やってごらん。

手をとりあって
たすけあう人は？
(47)

せなかあわせに　ならぶと
どっちむき？　(19)

のうみそと　心ぞうで
なにしてる？　(68)

門のひだり
はんぶんは？
(95)

一本のぼうを　刀で
きって？　(146)

こたえは
(　) のページ

父

父(ちち)の部・4画

□その他型／ノ(ななめぼう)

くん ちち　**父**は毎晩、かえりがおそい。
父親はとてもやさしい。
北里柴三郎は、日本の近代医学の**父**といわれる。

おん フ　わたしの**父母**は、いつもなかがよい。
祖父の家にあそびにいく。

いみ ちち●父上・父親・父子・父母(父母)・厳父・実父・慈父・祖父・養父・老父・父さん・叔父・伯父

●**特別な読み**…父さん・(叔父・伯父)

なりたち

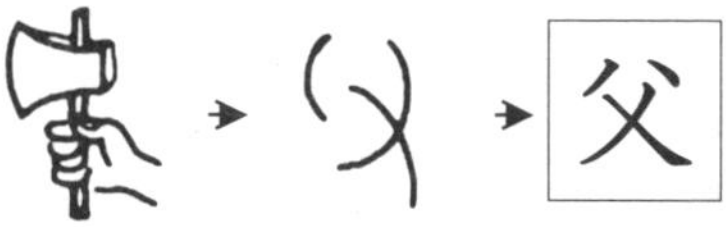

右手に、おのをもったかたち。

おのをもって　けものを　とりにいく人のことから、そういうことのできるのは、いえの　しゅじんなので〈**ちち**〉のいみになった。

となえかた

八をかいて

左に**はらっ**て

右ばらい

クイズ　「祖父」「曽祖父」って　なんのこと？

新

斤（おのづくり）の部・13画
左右型／丶（てん）

くん **あたら**しい　**新しい**型の車がでた。
かべを**新しく**ぬりかえる。
あらた　**新た**に皮ぐつを買った。
にい　**新盆**に、墓参した。
新潟県の佐渡にいって、砂金とり体験をした。

おん **シン**　**新車**でドライブをした。
服を**新調**した。

いみ **❶あたらしい・はじめて**●新盆（新盆）・新型・新学期・新刊・新居・新車・新春・新人・新調・新年・新聞　**❷いきいきしている**●新進・新鮮・新風・新緑　**❸あらためる**●一新・改新・革新・刷新

なりたち

人の　しょうめんの
かたちと　木のかたちで、
立っている木のこと。

と

木をきる　おののかたち。

で

新

おので　きったばかりの　なま木
のことで **〈あたらしい・はじめて〉**
のいみになった。

となえかた

てん　一
ソ　一
木をかいて
ノに　たてたノで
よこ
たてぼう

きを　つけよう　「**新しい**」は、「新らしい」と　しない。

午

十(じゅう)の部(ぶ)・4画(かく)

□その他型(たがた)／ノ(ななめぼう)

くん ――――

おん ゴ　物(もの)のかげは**正午**(しょうご)ごろに、いちばんみじかくなる。
午後(ごご)のおやつの時間(じかん)が、たのしみだ。
子午線(しごせん)とは、北極(ほっきょく)と南極(なんきょく)をむすぶ経線(けいせん)のこと。

いみ ❶**むかしの時刻(じこく)のよび名(な)。いまの昼(ひる)の十二時(じゅうにじ)**　●午後(ごご)・午前(ごぜん)・正午(しょうご)
❷**十二支(じゅうにし)の七(なな)ばんめ・みなみの方角(ほうがく)**　●子午線(しごせん)

なりたち

うすと　きねのかたち。

きねを　あげさげして　おもちを
つくことから「まじわる」のいみ
をあらわし、また、**〈十二支(じゅうにし)の七(なな)ばんめ〉**をあらわすようになった。

となえかた

ノ　一(いち)
よこぼう
たておろす

さんこう　午は、十二支(じゅうにし)の　7番目(ばんめ)で　ウマを　あらわす。

声

士（さむらい）の部(ぶ)・7画(かく)

上下型(じょうげがた)／一（よこぼう）

くん こえ　　たのしそうな**笑(わら)い声(こえ)**がきこえる。

みんなの**声(こえ)**をつたえる。

（こわ）　役者(やくしゃ)さんの**声色(こわいろ)**をまねる。

自然保護(しぜんほご)を**声高(こわだか)**にうったえる。

おん セイ　　本格的(ほんかくてき)に**声楽(せいがく)**をまなぶ。

（ショウ）　お寺(てら)でおぼうさんの**声明(しょうみょう)**をきく。

いみ **❶おと・こえ・こえをだす**● 声色(こわいろ)・声高(こわだか)・泣(な)き声(ごえ)・鳴(な)き声(ごえ)・笑(わら)い声(ごえ)・声明(しょうみょう)・声援(せいえん)・声楽(せいがく)・声帯(せいたい)・音声(おんせい)・女声(じょせい)・男声(だんせい)・肉声(にくせい)・発声(はっせい)・美声(びせい)　**❷うわさ・ひょうばん**● 声価(せいか)・声望(せいぼう)・名声(めいせい)

なりたち

石(いし)でつくった、打(だ)がっきのかたち。

石(いし)で　できた　打(だ)がっきを　ぼうでたたいて　音(おと)をだすことから、耳(みみ)にひびく**〈おと・こえ〉**のいみになった。

となえかた

声	よこ　たて みじかい よこぼうかいて
声	かぎ
声	たて
声	よこで
声	ノをつける

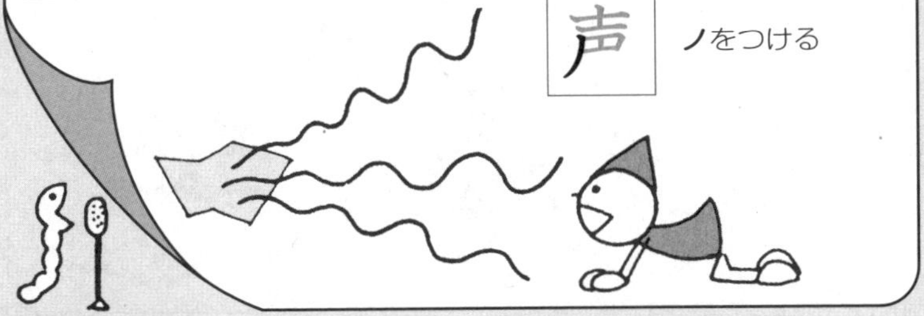

きを　つけよう　声の「士」を「土」と　しない。

南

十(じゅう)の部・9画
□その他型／一(よこぼう)

くん みなみ　**南風**はあたたかい。
南半球では、季節が日本とぎゃくになる。

おん ナン　バナナは**南国**のくだものだ。
(ナ)　ほとけさまを**南無阿弥陀仏**とおがむ。

いみ みなみ ● 南風(南風)・南半球・南緯・南下・南海・南岸・南極・南国・南端・南中・南氷洋・南部・南米・南方・南北・南面・南洋

なりたち

上から　つるしてたたく
「なん」とよばれるがっきのかたち。

このがっきは、むかし、中国の
みなみのほうに　すんでいた人
たちが　つかっていたことから
〈みなみ〉をあらわすようになった。

となえかた

十をかき
たて
かぎはねたら
ソ
二
たてぼう

さんこう　南の　はんたいの　いみの字…**北**

楽

木（き）の部・13画
上下型／ノ（ななめぼう）

くん たのしい　きょうは**楽しい**運動会だ。
たのしむ　みんなでお正月にトランプを**楽しむ**。

おん ガク　ベートーベンは、**楽聖**といわれるほどの**大音楽家**だ。
ラク　車があれば、いろいろ**楽**だ。
秋は**行楽**の季節だ。

いみ ❶**たのしい・たのしむ** ● 楽園・楽勝・楽天的・楽観・安楽・行楽・極楽　❷**おんがく・おんがくをかなでる** ● 楽劇・楽師・楽章・楽聖・楽隊・楽団・楽譜・楽屋・楽器・音楽・雅楽・器楽・能楽・舞楽・文楽・神楽

● **特別な読み**…（神楽）

なりたち

糸でつくった　ふさを　左右に
つけた　小さな　すずが、木の
だいの上に　おいてあるかたち。

すずや　たいこなどの、がっきを
たたいて　たのしんだり、神を
たのしませたりしたことから
〈たのしむ〉のいみになった。

となえかた

たてに**ながく**
白をかき

左に
チョン　チョン

右にも
チョン　チョン

したにおおきく
木の字かく

クイズ　楽あれば□あり　□に入るのは？　①苦　②悲　③生

弓

弓（ゆみ）の部・3画

□その他型／一（よこぼう）

くん ゆみ

土俵ぎわで、**弓なり**になってこらえる。
庭で**弓**をひく。
日本列島は、太平洋側に**弓形**にはりだしている。

おん （キュウ）

神社で**弓道**をならう。
さむらいは**弓術**を身につけた。
洋弓とは、アーチェリーのこと。

いみ ゆみ ● 弓形（弓形）・弓弦・弓取り・弓なり・弓矢・弓術・弓状・弓道・強弓・半弓・洋弓

なりたち

矢をいる　ゆみのかたち。

むかし、鳥やけものなどを　とるために、木や竹をまげて　つるをはり、矢といっしょに　つかった道具〈ゆみ〉のこと。たたかいのときの　ぶきにもなった。

となえかた

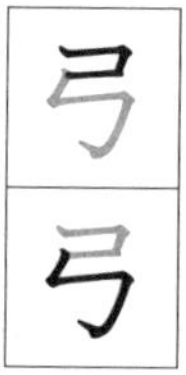

コをかいて

ノにつづけて　かぎはねる

159ページへ

きを　つけよう 弓の「ㄣ」は　ひとふでで書く。

引

弓（ゆみ）の部・4画

左右型／一（よこぼう）

くん ひく　運動会で**綱引き**をする。
漢字の復習で、字典を**引く**。
忘れものをとりに家へ**引き返す**。

ひける　いつもたのんでばかりなので、気が**引ける**。

おん イン　物がおちるのは**引力**の作用だ。有名選手の**引退試合**。

いみ **❶ひっぱる・ひく**●引き金・引き算・引き潮・引き戸・字引・綱引き・水引・割引・引火・引用・引力・引例・吸引　**❷しりぞく**●引退
❸つれていく・みちびく●引率・索引

●**送りがなに注意**…「字引」「水引」「割引」は、「字引き」「水引き」「割引き」とは書かない。

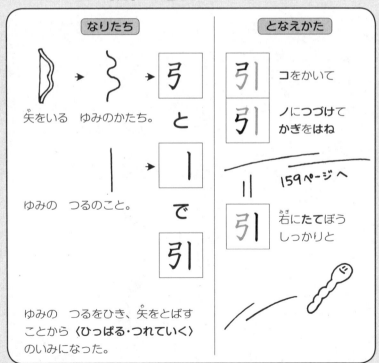

なりたち

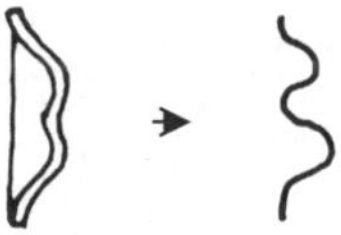

弓

矢をいる　ゆみのかたち。

と

丨

ゆみの　つるのこと。

で

引

ゆみの　つるをひき、矢をとばすことから〈**ひっぱる・つれていく**〉のいみになった。

となえかた

引　**コ**をかいて

引　**ノ**に**つづけて**
かぎを**はね**

159ページへ

引　右に**たて**ぼう
しっかりと

クイズ　「**糸を引く**」の　いみは？　①おどす　②のぞく　③あやつる

強

弓（ゆみ）の部・11画

左右型／一（よこぼう）

くん つよい　祖父は力が**強い**。

つよまる　日に日に、反対の声が**強まる**。

つよめる　台風が上陸して、勢力を**強める**。

（しいる）　人に寄付を**強い**てはいけない。

おん キョウ　県の西部に**強風注意報**がでる。

（ゴウ）　**強情**をはるのはよくない。

いみ **❶つよい・つよくする**●強気・強味・強化・強固・強者・強弱・強大・強打者・強調・強敵・強度・強風・強力・補強　**❷むりにする・しいる**●強行・強制・強迫・強弁・強要・強引・強情・勉強

なりたち

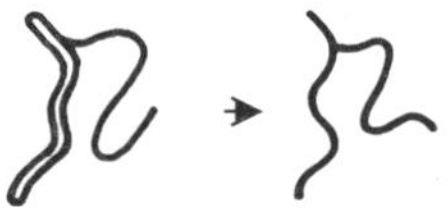

弘

ゆみのつるを　はずしたかたち。

と

虫

虫のかたちで、かいこのこと。

で

強

ゆみにつかう　つるは、かいこからとるてぐすという糸。その糸に　まつやになどをぬって　つよくしたところから**〈つよい・つよくする〉**のいみになった。

となえかた

コをかいて

ノにつづけて かぎをはね

かなのム

したに虫をかく

さんこう　強の　はんたいの　いみの字…弱

矢

矢(や)の部・5画

□ その他型／ノ(ななめぼう)

くん や　まとをねらって**矢**をはなつ。
月日は**矢**のようにすぎてしまった。
なにか言われたら、ぼくが**矢面**に立とう。
矢印の方向に進む。

おん (シ)　敵のこうげきに**一矢**をむくいる。

いみ **や(弓のつるにかけて、いる武器)** ● 矢面・矢先・矢印・矢立て・矢継ぎ早・通し矢・毒矢・流れ矢・弓矢・一矢

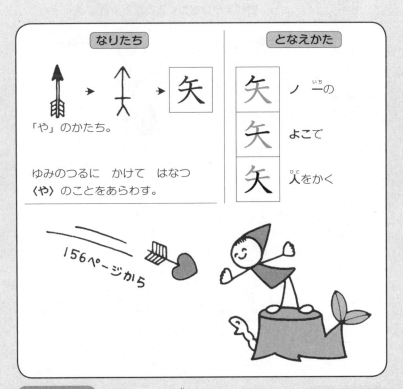

なりたち

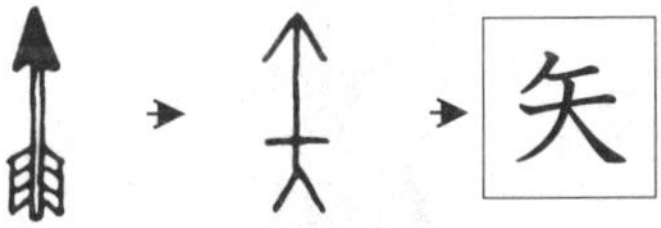

「や」のかたち。

ゆみのつるに　かけて　はなつ
〈や〉のことをあらわす。

となえかた

矢	ノ　一の
矢	よこで
矢	人をかく

きを　つけよう　矢と　にている字…天・失・夫

台

口（くち）の部・5画

上下型／ノ（ななめぼう）

くん ―――

おん ダイ　夜になると、**灯台**にあかりがつく。
台所にあるおやつを食べる。

タイ　第一号の**台風**が発生した。
いろいろな食べ物の**屋台**がならぶ。

いみ **❶たかくてたいらなところ** ● 台地・高台　**❷たかくて四方がよくみえるたてもの** ● 展望台・天文台・灯台・舞台・見晴らし台　**❸ものをのせるもの** ● 鏡台・寝台・番台・屋台　**❹もとになるもの** ● 台紙・台帳・台本・土台　**❺りょうりをつくるところ** ● 台所

なりたち

四方をみわたすための、
ものみだいの　かたち。

たかい　ものみだいのかたちから
〈たかくて たいらなところ〉 など
のいみになった。

となえかた

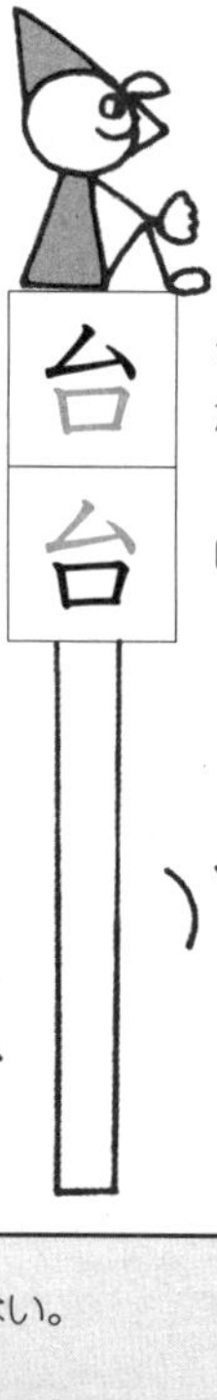

ダイは
かたかな**ム**

口とかく

きをつけよう　**台**の「口」を「日」と　しない。

弟

弓（ゆみ）の部・7画

□その他型／丶（てん）

くん おとうと　兄のおさがりのリュックを**弟**にまわす。

弟の友だちに会う。

おん ダイ　**兄弟**おそろいの洋服。

（テイ）　姉は、**弟妹**のめんどうをよくみてくれる。

（デ）　妹は、ぼくの**一番弟子**だ。

いみ ❶**おとうと・年下の男のきょうだい**●弟妹・義弟・兄弟（兄弟）・末弟（末弟）　❷**先生に教えをうける人**●弟子・高弟・子弟・師弟・徒弟・門弟

なりたち

ぼうぐいに、ひもを
まいた　かたち。

ひもを　上から下へ　じゅんに
ぐるぐる　まくように、
じゅんじゅんに　生まれてくる
〈おとうと〉のいみをあらわす。

となえかた

ソ

コとかき

ノに**つづけて**
かぎをはね

たてぼう
かいたら

左に**はらう**

きを　つけよう　**弟**と　にている字…**第**

知

矢(や)の部・8画
左右型／ノ(ななめぼう)

くん しる　**知ら**ない人が、親切に道をおしえてくれた。
名の**知ら**れた歌手。
知らぬがほとけ。

おん チ　友だちから、ひっこしの**通知**がきた。

いみ ❶**しる・おぼえる・わかる**● 知恵・知識・知人・知性・知的・知能・知力・察知・周知・承知・探知・未知・無知・予知・理知
❷**しらせる**● 告知・通知　❸**しられている**● 知名・周知

なりたち

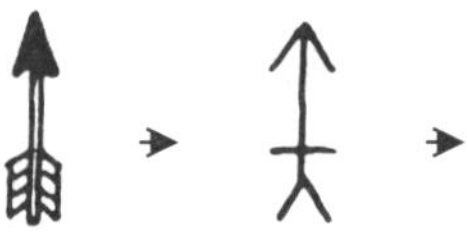

→ 矢

「や」のかたち。

と

→ 口

口のかたち。

で

知

矢のように、まっすぐ
ずばりと　ものごとをいいあてる
ことで、それは　よくしっている、
ということになるので **〈しる・おぼえる〉** のいみになった。

となえかた

ノ　一で

よこぼう

人をかき

右におおきく
口つける

きを　つけよう　知の「矢」を「失」と　しない。

用

用（もちいる）の部・5画

その他型／ノ（ななめぼう）

くん もちいる　はさみを**用い**て紙を切る。

おん ヨウ　クマは**用心深い**動物だ。
図工係から**工作用紙**をもらう。

いみ ❶**もちいる・人が使う**● 用意・用具・用語・用紙・用心・用法・用例・愛用・引用・運用・応用・活用・使用・信用・専用 ❷**役にたつ・ききめ**● 起用・器用・効用・作用・実用・適用・副作用・有用 ❸**仕事・しなければならないこと**● 用件・用事・用談・急用・公用・私用

なりたち

いたに　くぎを
つきとおす　かたち。

ものを　くみたてるとき、
ばらばらにならないように、
くぎをつかうことから〈**もちいる**〉
のいみになった。

となえかた

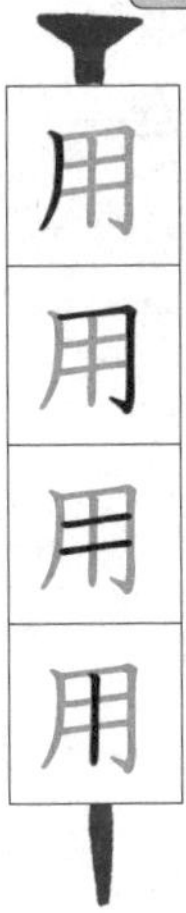

たてたノに

かぎをはね

よこぼう
2ほんで

たてながく

きを　つけよう　「**用いる**」は、「用ちいる」と　しない。

同

口（くち）の部・6画

□ その他型／丨（たてぼう）

くん おなじ　ふたごの兄弟に、**同じ**白いぼうしを買ってあげた。

おん ドウ　いなびかりがすると**同時**に、どおんと大きな音がした。

いみ ❶**おなじ・ひとしい** ● 同意・同一・同格・同感・同期・同形・同権・同好・同士・同志・同時・同室・同然・同窓・同点・同等・同年・異同　❷**ともに・ともにする・いっしょ** ● 同化・同居・同行・同乗・同情・同人・同調・同胞・同盟・一同・共同

なりたち

あつい　いたに、あなを
あけた　かたち。

あなの　大きさが　はじめから
おわりまで　どこも　おなじこと
から〈**おなじ**〉といういみになった。

となえかた

たて
かぎはねて

一

口とかく

きを　つけよう　「**同じ**」は、「同なじ」と　しない。

船

舟(ふね)の部(ぶ)・11画(かく)
左右型(さゆうがた)／ノ(ななめぼう)

くん ふね　**船**(ふね)で、むこうぎしまでいく。
ふな　**船出**(ふなで)をつげる、どらがきこえる。
おん セン　**豪華客船**(ごうかきゃくせん)クイーンエリザベス号(ごう)を見学(けんがく)した。
カーフェリーの**船長**(せんちょう)**さん**にあいさつをする。

いみ ❶**ふね**● 船旅(ふなたび)・船出(ふなで)・渡(わた)し船(ぶね)・船員(せんいん)・船室(せんしつ)・船首(せんしゅ)・船長(せんちょう)・船頭(せんどう)・船尾(せんび)・貨物船(かもつせん)・汽船(きせん)・客船(きゃくせん)・漁船(ぎょせん)・造船(ぞうせん)・伝馬船(てんません) ❷**水などをいれるいれもの**● 湯船(ゆぶね)・飛行船(ひこうせん)・風船(ふうせん)

●**特別**(とくべつ)**な読**(よ)**み**…(伝馬船(てんません))

なりたち

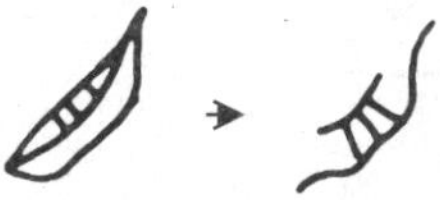

舟

ふねのかたち。

と

八口

わかれるしるしと
水(みず)のでる　くぼみの
かたちで、谷川(たにがわ)のこと。

で

船

谷川(たにがわ)の　ながれにそって　すすむ
ふねのかたちから〈**ふね**〉のいみ
になった。

となえかた

船	ノにノをたてて
船	**かぎはねて**
船	**チョン　チョン** つけて
船	**よこぼうしきり**
船	かん字(じ)の八(はち)に 口(くち)をかく

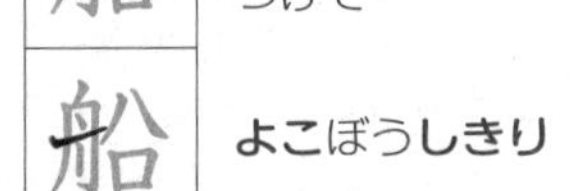

きを　つけよう　船の「八」を「へ」と　しない。

方

方(ほう)の部(ぶ)・4画(かく)
その他型(たがた)／丶(てん)

くん **かた**　ミシンの**使(つか)い方(かた)**をならう。
先生(せんせい)は、女子(じょし)チームの**味方(みかた)**をした。

おん **ホウ**　ぼくの**方(ほう)**がわるいと思(おも)われている。
方法(ほうほう)がまちがっている。

いみ **❶むき・ほうこう**●味方(みかた)・方位(ほうい)・方角(ほうがく)・方向(ほうこう)・方面(ほうめん)・遠方(えんぽう)・四方(しほう)・先方(せんぽう)・他方(たほう)・地方(ちほう)・八方(はっぽう)・北方(ほっぽう)・両方(りょうほう)・行方(ゆくえ) **❷やりかた・てだて**●仕方(しかた)・使い方(つかいかた)・方策(ほうさく)・方式(ほうしき)・方針(ほうしん)・方便(ほうべん)・方法(ほうほう)・処方(しょほう)・途方(とほう) **❸しかく**●方眼紙(ほうがんし)・正方形(せいほうけい)・直方体(ちょくほうたい)・立方体(りっぽうたい)

●**特別(とくべつ)な読(よ)み**…(行方(ゆくえ))

なりたち

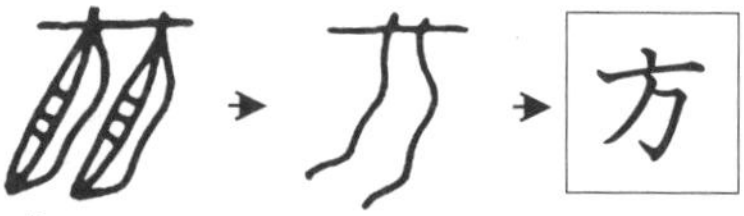

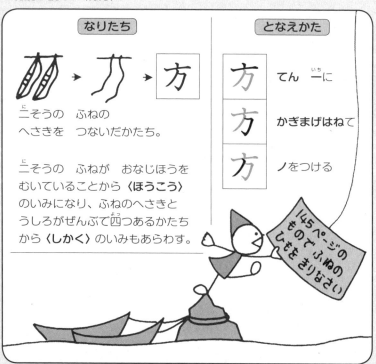

二(に)そうの　ふねの
へさきを　つないだかたち。

二(に)そうの　ふねが　おなじほうを
むいていることから **〈ほうこう〉**
のいみになり、ふねのへさきと
うしろがぜんぶで四(よっ)つあるかたち
から **〈しかく〉** のいみもあらわす。

となえかた

方	てん　一(いち)に
方	かぎまげはねて
方	ノをつける

145ページのものでふねのひもをきりなさい

きを　つけよう　**方**と　にている字(じ)…**万**

前

刀（かたな）の部・9画

上下型／丶（てん）

くん まえ　家の**前**で、つまずいてころんだ。
冬休み**前**に、かぜをひいた。
体育を休む人は、**前もって**いってください。

おん ゼン　歩くときには、左右にも**前後**にもよく注意しよう。

いみ ❶**まえ・さき**●前歯・前向き・前後・前進・前途・前半・前部・前方・前面・眼前・目前・門前　❷**もと・これまで・むかし**●前回・前期・前月・前日・前年・以前・紀元前・午前・食前・生前

なりたち

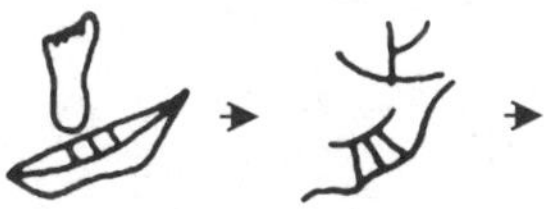

→ 歬

あしと　ふねのかたちで、
つないだふねのこと。

と

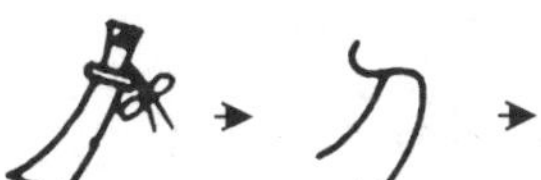

→ 刂

かたなのかたち。

で

前

つないである　ふねのつなを
かたなできって、ふねがでて
いくことから、ふねのすすむほう
〈まえ・さき〉のいみになった。

となえかた

前	ソ　一と **つづけ**
前	**月**をかき
前	**たて**ぼう2ほんで さいごを**はねる** （**りっとう**をかく）

さんこう　**前**の　はんたいの　いみの字…**後**

紙

糸(いと)の部・10画
左右型／ノ(ななめぼう)

くん かみ　**紙芝居**をみて、たのしんだ。
折り紙で、鶴をおる。
転校していった友だちから、**手紙**が来た。

おん シ　**新聞紙**で切り花をつつむ。
本の**表紙**がやぶれた。

いみ ❶**かみ**●紙芝居・紙一重・厚紙・油紙・色紙・折り紙・紙質・画用紙・原紙・白紙・半紙・表紙・用紙・洋紙・和紙　❷**文字の書いてあるかみ**●手紙・紙型・紙上・紙幣・紙面・新聞紙

なりたち

糸

糸を　たばねたかたち。

と

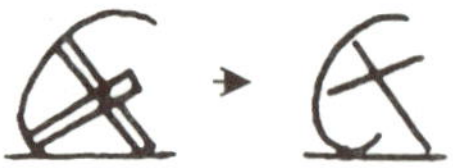

氏

たおれかかったものを
ささえているかたちで、
うすく　たいらなこと。

で

紙

せんいで　できた　うすいもの
ということで〈**かみ**〉のいみを
あらわした。

となえかた

紙　く　ムとつづけて　たて　チョン　チョン　(糸へんに)

紙　ノに

紙　**たてはねて**

紙　**よこ**ぼう　かいたら

紙　**たてまげはねる**

きを　つけよう　紙の「氏」を「氐」と　しない。

細

糸(いと)の部(ぶ)・11画(かく)

左右型(さゆうがた)／ノ(ななめぼう)

くん ほそい　　木(き)のぼうに**細(ほそ)い**リボンをまく。

ほそる　　かぜをひいて、食(しょく)が**細(ほそ)る**。

こまか　　お客(きゃく)さんに、**細(こま)か**に気(き)をくばる。

こまかい　　紙(かみ)を**細(こま)か**く切(き)って、劇(げき)で使(つか)う雪(ゆき)をつくる。

おん サイ　　**細心(さいしん)**の注意(ちゅうい)をはらって仕事(しごと)をする。

いみ ❶**ほそい・せまい**●細字(ほそじ)・細道(ほそみち)・毛細管(もうさいかん)　❷**こまかい・ちいさい・すくない**●細菌(さいきん)・細工(さいく)・細心(さいしん)・細則(さいそく)・細部(さいぶ)・細別(さいべつ)・細胞(さいぼう)・細密(さいみつ)・細目(さいもく)・繊細(せんさい)　❸**くわしい**●子細(しさい)・詳細(しょうさい)・明細(めいさい)

なりたち

糸

糸(いと)を　たばねたかたち。

と

田

のうみそと　血管(けっかん)の かたち。

で

細

のうみその中(なか)の　血管(けっかん)は、糸(いと)のように　とてもほそく　こまかいことから**〈ほそい・こまかい〉**のいみをあらわす。

となえかた

く　ムと　つづけて

たて　チョン　チョン（糸(いと)へんで）

たて　かぎ

たて　よこ

そことじる

きを　つけよう　「**細(こま)かい**」は、「細(こまか)い」と　しない。

組

糸（いと）の部（ぶ）・11画（かく）
左右型（さゆうがた）／ノ（ななめぼう）

くん くむ　いすにすわってうでを**組（く）む**。
　　　　おもちゃのロボットを**組（く）み立（た）てる**。
　　くみ　赤白（あかしろ）の**組（くみ）**にわかれる。
おん ソ　係（かかり）をきめて、**組織（そしき）**をつくる。

いみ ❶**くむ・くみあわせる・くみたてる**●組（く）み合（あ）わせ・組曲（くみきょく）・組（く）み立（た）て・縁組（えんぐ）み・番組（ばんぐみ）・骨組（ほねぐ）み・組閣（そかく）・組織（そしき）・組成（そせい）・改組（かいそ）　❷**くみ・ひとそろい・なかま**●組合（くみあい）・組長（くみちょう）・組分（くみわ）け・隣組（となりぐみ）・乗組員（のりくみいん）・一組（ひとくみ）

●**送（おく）りがなに注意（ちゅうい）**…「乗組員（のりくみいん）」「番組（ばんぐみ）」は、「乗（の）り組（く）み員（いん）」「番組（ばんぐ）み」とは書（か）かない。

なりたち

糸

糸（いと）を　たばねたかたち。

と

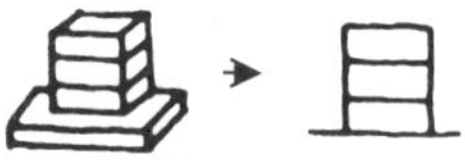

且

だいの上（うえ）に、ものをかさねたかたち。

で

組

糸（いと）をかさねて　あんだ、はおりのひものような、くみひものことで〈**くむ・なかま**〉のいみになった。

となえかた

組	く　ムと つづけて
組	たて チョン　チョン
組	たて かぎ
組	よこ　よこ
組	よこながく

きを　つけよう　組の「且」を「旦」と　しない。

絵

糸(いと)の部・12画(かく)

左右型(さゆうがた)／ノ(ななめぼう)

くん ――

おん カイ　**絵画**(かいが)のコンクールに、入選(にゅうせん)した。

エ　風景(ふうけい)を**絵の具**(えのぐ)で写生(しゃせい)する。

絵(え)には、人(ひと)の心(こころ)があらわれる。

こども会(かい)で**影絵芝居**(かげえしばい)をやる。

いみ え・えがく ● 絵図(えず)・絵日記(えにっき)・絵の具(えのぐ)・絵筆(えふで)・絵本(えほん)・絵馬(えま)・絵巻物(えまきもの)・絵文字(えもじ)・絵画(かいが)・油絵(あぶらえ)・影絵(かげえ)

なりたち

糸(いと)を　たばねたかたち。

糸

と

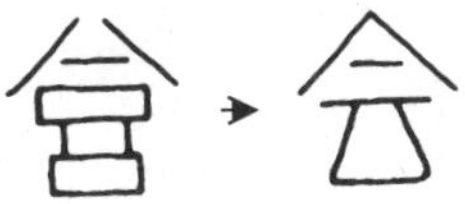

あつまるしるしと
かさねるかたち。

会

で

絵

おりものに、いろいろな色(いろ)の糸(いと)で
ししゅうを　かさねて、もようを
つくったことから〈**え・えがく**〉
のいみになった。

となえかた

絵	く　ムとつづけて たて チョン チョン (糸(いと)へんに)
絵	ひとやねつけて
絵	二(に)
絵	ムとかく

クイズ　絵(え)にかいた＿＿＿＿に入(はい)るのは？　①もち　②しろ　③ゆめ

線

糸(いと)の部・15画

左右型／ノ(ななめぼう)

くん ―――

おん セン　画用紙に**直線**を十本ひく。
台風で**電線**が切れた。
終電車がとおりすぎたあと、**線路工事**がはじまった。

いみ ❶**糸のようにほそくながいもの**● 線香・光線・直線・電線・銅線・導線・配線・放射線・無線・三味線 ❷**乗りものの道すじ**● 線路・沿線・幹線・支線・社線・単線・複線・本線・路線 ❸**ふたつのもののさかいめ**● 子午線・水平線・戦線・前線・地平線

●**特別な読み**…(三味線)

なりたち

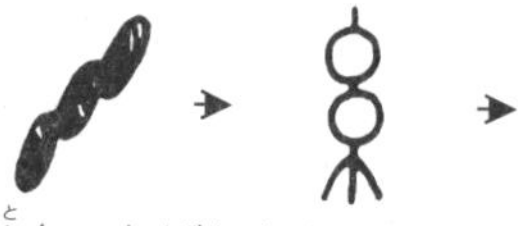

糸

糸を　たばねたかたち。

と

泉

いずみの口から、水がながれているかたち。

で

線

いずみの水がわきでて、どこまでも　ほそく　ながれるようすから**〈糸のようにほそくながいもの・道すじ〉**をあらわす。

となえかた

線　くムとつづけて たて チョン チョン (糸へんに)

線　白をかいたら

線　水をかく

きを　つけよう　線と　にている字…綿

理

玉(たま)の部(ぶ)・11画(かく)

左右型(さゆうがた)／一(よこぼう)

くん ———

おん **り**　よく話(はな)し合(あ)って、相手(あいて)のきもちを**理解**(りかい)する。
けんかした**理由**(りゆう)は、かんたんにはいえない。

いみ ❶すじみち・わけ・きまり ● 理科(りか)・理解(りかい)・理屈(りくつ)・理性(りせい)・理想(りそう)・理念(りねん)・理由(りゆう)・理論(りろん)・心理(しんり)・真理(しんり)・道理(どうり)　❷ととのえる・とりさばく ● 理髪(りはつ)・理容(りよう)・管理(かんり)・修理(しゅうり)・整理(せいり)　❸ものの表面(ひょうめん)にみえるすじ・すじめ ● 節理(せつり)・大理石(だいりせき)

なりたち

王

ほうせきの　たまを
つないだかたち。

と

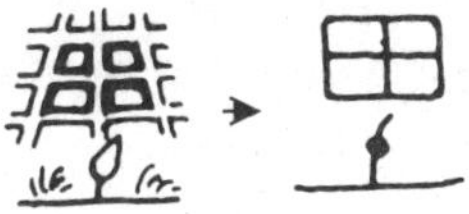

里

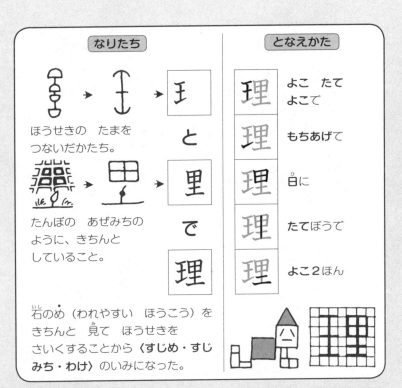

たんぼの　あぜみちの
ように、きちんと
していること。

で

理

石(いし)のめ（われやすい　ほうこう）を
きちんと　見(み)て　ほうせきを
さいくすることから**〈すじめ・すじみち・わけ〉**のいみになった。

となえかた

よこ　たて
よこで

もちあげて

日(ひ)に

たてぼうで

よこ2ほん

きを　つけよう　**理**の　いちばん下(した)のよこぼうは、上(うえ)のよこぼうより　長(なが)く書(か)く。

形

彡（さんづくり）の部・7画
左右型／一（よこぼう）

くん かた　野球選手の**手形**の色紙。
かたち　**形**がととのった古いつぼ。

おん ケイ　月は、ほぼ**球形**だ。
ギョウ　バレエの組曲「くるみ割り**人形**」。

いみ ❶**かた・かたち**● 形見・手形・形式・形状・円形・球形・固形・三角形・図形・体形・人形・無形・有形　❷**ようす・ありさま**● 形相・形状・形勢・形態・形容・外形・奇形・地形

なりたち

开

しかくい　わくの
かたちで、かたどること。

と

彡

うつくしい　かざりの
かたち。

で

形

うつくしい　かたちを　かたどる
ことで〈**かたち**〉のいみになった。

となえかた

形　**よこ**ぼう**2**ほん

形　たてたノ
たてぼう

形　そしてとなりに
ノが**みっ**つ

つかいわけ　**三日月形**のパンを買う。**小型**のバスにのる。

その他

万

一（いち）の部（ぶ）・3画（かく）

その他型（たがた）／一（よこぼう）

くん ――――

おん マン　**万年雪**（まんねんゆき）で、夏（なつ）のスキーをたのしむ。

（バン）　**万事**（ばんじ）うまくいったので、安心（あんしん）だ。

万全（ばんぜん）を期（き）して試合（しあい）にのぞむ。

いみ ❶**数（かず）のおおいこと**●万感（ばんかん）・万国（ばんこく）・万人（ばんにん）・万民（ばんみん）・万雷（ばんらい）・万一（まんいち）・万年（まんねん）筆（ひつ）・万年雪（まんねんゆき）　❷**千（せん）の十（じゅう）ばいの数（かず）**●一万（いちまん）・十万（じゅうまん）・千万（せんまん）・百万（ひゃくまん）　❸**すべて**●万策（ばんさく）・万事（ばんじ）・万全（ばんぜん）・万端（ばんたん）・万難（ばんなん）・万能（ばんのう）・万物（ばんぶつ）・万有引力（ばんゆういんりょく）・万病（まんびょう）

なりたち

まんじのかたち。

インドの仏教（ぶっきょう）で　えんぎの　よいかたちの「卍（まんじ）」を　つかい〈**数（かず）のおおいこと**〉のいみをあらわした。

となえかた

よこぼうに

かぎまげはねて

ノをたてる

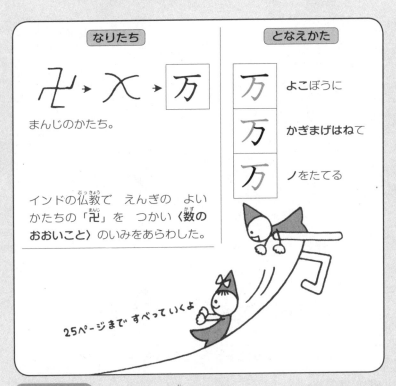

きを　つけよう　**万**と　にている字（じ）…**方・カ**

その他

少

小(しょう)の部・4画

□その他型／｜(たてぼう)

くん すくない　水が**少**ない。

歩いて**少**なくとも五分はかかる。

すこし　妹は、**少し**元気がない。

少ししか時間がない。

おん ショウ　まっくろに日焼けした**少**年。

いみ ❶**すくない・すこし・わずか**●少額・少食・少数・少量・軽少・減少・最少・多少 ❷**年がわかい・おさない**●少女・少壮・少年・年少・幼少

なりたち

小さいものを、さらに りょうほうに　わけた かたち。

小さいものを　わけると、さらに すくなくなることから〈**すくない**〉のいみになった。

となえかた

たてはねて

ハをかいたら

ノをつける

さんこう　**少**の　はんたいの　いみの字…**多**

その他

当

小(しょう)の部(ぶ)・6画(かく)

□その他型(たがた)／丨(たてぼう)

くん あたる　すずしい風(かぜ)が顔(かお)に**当**(あ)たる。

あてる　福引(ふくび)きで一等(いっとう)の景品(けいひん)を**当**(あ)てる。

おん トウ　父(ちち)が生(う)まれた**当時**(とうじ)のようすをきく。

きょうは**給食当番**(きゅうしょくとうばん)だ。

いみ ❶**あたる・あてはめる**●当選(とうせん)・当直(とうちょく)・当番(とうばん)・見当(けんとう)・相当(そうとう)・担当(たんとう)・手当(てあ)て・手当(てあて)・適当(てきとう)　❷**正**(ただ)**しい**●当然(とうぜん)・当否(とうひ)・正当(せいとう)・不当(ふとう)　❸**この・その**●当局(とうきょく)・当家(とうけ)・当時(とうじ)・当事者(とうじしゃ)・当日(とうじつ)・当社(とうしゃ)・当地(とうち)・当人(とうにん)・当方(とうほう)　❹**いまの**●当座(とうざ)・当世(とうせい)・当代(とうだい)・当分(とうぶん)・当面(とうめん)・当用(とうよう)

●**送**(おく)**りがなに注意**(ちゅうい)…きずなどの処置(しょち)をする「てあて」は「手当(てあ)て」と書(か)くが、しはらうお金(かね)の意味(いみ)では「手当(てあて)」と書(か)く。

なりたち

ふたつに　わけるしるし。

と

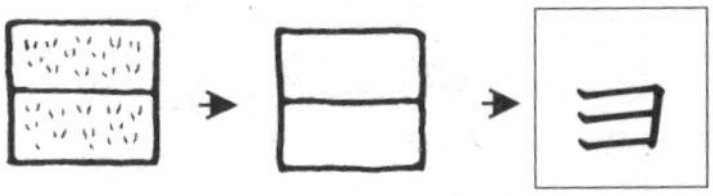

おなじひろさに　わけた
たんぼのかたち。

で

当

たんぼをわけるとき、ふたつの
ひろさが　ぴたりとあうように
おなじにしたことから〈**あたる・正**(ただ)**しい**〉のいみになった。

となえかた

たてぼう

ソをかき

ヨをつける

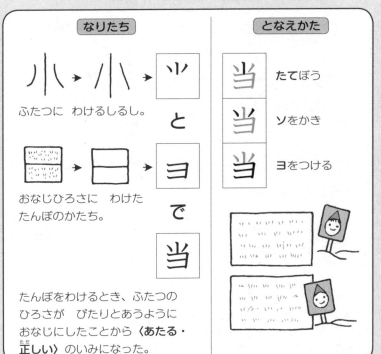

きを　つけよう　**当**の「ヨ」を「ヨ」と　しない。

その他

点

火（ひ）の部・9画
上下型／丨（たてぼう）

くん ―――

おん テン　マラソンの**折り返し地点**。
国語の試験は**三十点**だった。
自分の**欠点**をなおす。
テストの**採点**が気になる。

いみ **❶てん・しるし** ● 点在・点字・点線・黒点・支点・終点・地点・中心点・氷点・力点　**❷せいせき** ● 点数・減点・採点・同点　**❸ともす・つける** ● 点火・点灯・点滅　**❹しらべる** ● 点検・点呼　**❺つぎたす** ● 点眼・点景

なりたち

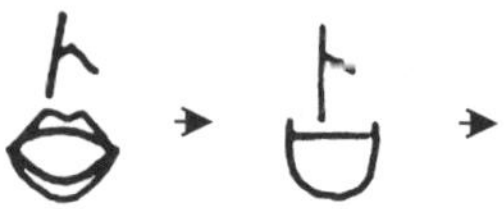

占

かめのこうらの　ひびと
口のかたちで、
うらなうこと。

と

灬

くろいしるしの　かたち。

で

点

うらないの　小さなきざしから、
「わずかな」のいみになり、
それに点を四つつけて〈**小さなしるし**〉のいみをあらわした。

となえかた

たて　よこ

口で

てんよっつ

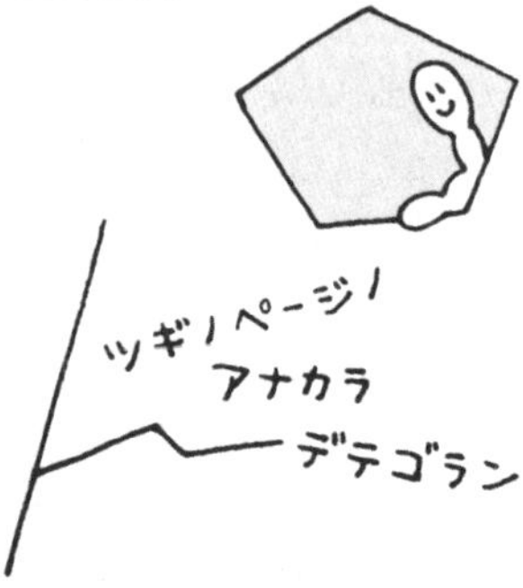

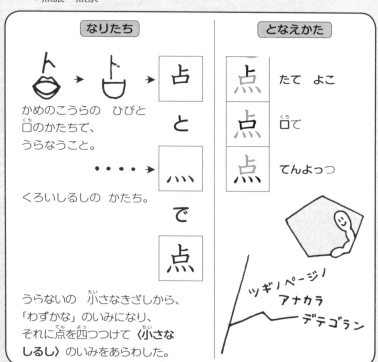

きを　つけよう　**点**の「占」を「古」と　しない。

小さな　虫が
ちょうちょになって
とんでいく。

どこへいくのかな？

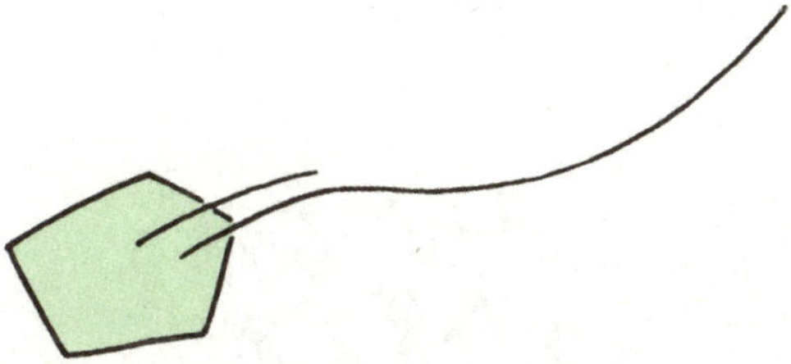

「かん字の　木のみが
みんな　なくなった。」

「かん字の
花ぞのだ。」

「おなじ　しゅるいの　花をあつめて、
ふたつの花たばを　つくってごらん。」
と、ちょうちょが　いいました。
でも、どの花と　どの花を
くみあわせたらいいか　わかりません。

そのとき、そらから　ふしぎな光が　さしました。

人の上に　そらが　ひろがっている　かたち

木のねもとに　しるしを　つけた　かたち

人が　じめんに　たっている　かたち

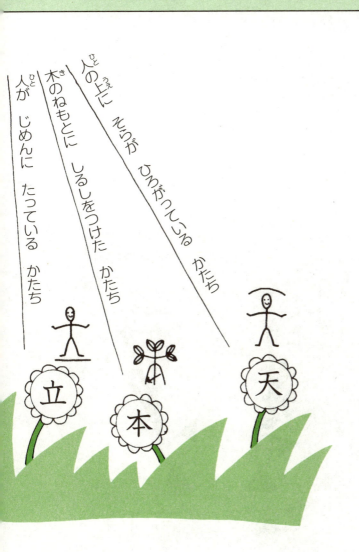

さあ、花たばを　ふたつ　つくれるかしら？

できたよ　できた、
花たば　ふたつ。

“木のかたちから　できた
かん字の花たば„

“人のかたちから　できた
かん字の花たば„

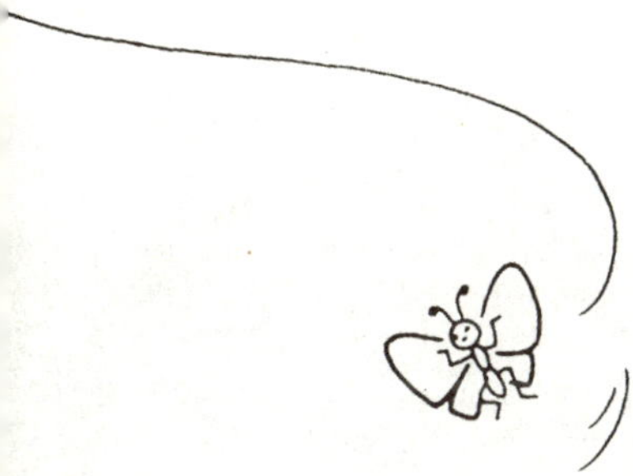

ちょうちょが　いいました。
「かん字はね、
　そのもとをしらべると、
　なかまどうしに　わけることが
　できるんだよ。」

ちょうちょが　こんどは、
草はらのほうへ　とんでいきました。
「おちている　ふうとうを
さがしてごらん。」

こんな
つかいかたも
ありますよ

あす	明日
かあさん	母さん
かわら	河原・川原
きょう	今日
けさ	今朝
けしき	景色
ことし	今年
とうさん	父さん
とけい	時計
ともだち	友達
にいさん	兄さん
ねえさん	姉さん

「ふうとう　ひとつ
みつけたよ。」
なかを　あけてみると、

クイズのこたえ

●えもじ　クイズ（73ページ）

丸(まる)いつつの　なかに
母(はは)が　心(こころ)を　こめて
つくった米(こめ)が　はいっています。
鳥(とり)のいるところまで
もっていってね。

●かくれんぼ　クイズ（81ページ）

一 二 三 十 口 日 田 土 王
中 山 工 由 甲 木 東 未 など

●けいさん　クイズ（115ページ）

止＋少＝**歩**　　田＋心＝**思**
七＋刀＝**切**　　正－一＝**止**
牛－ノ＋ソ＝**半**　　計－十＋売＝**読**

となえかたの　やくそく

- よこぼう（よこ一）
- よこはね（よこぼうはねる）
- てん（チョン）
- てん一
- ソ　一
- ノ　一
- ノフ（とつづける）
- ヨのなかながく

ふたつめの
ふうとうの
なかみは　これ。

たてぼう （たて）	㇆	かぎまげ （うち）はね
たてはね （たてぼうはねる）	乙·㇈	かぎまげ （そと）はね
たて（ぼう） まげはね	㇋·㇌	フにつづける フをつづける
たてまげ	㇀	もちあげる
たてまげはねる	㇒	左（ひだり）ばらい
たてたノ （ノをたてる）	㇏	右（みぎ）ばらい
かぎ	乂·く	左右（さゆう）にはらう
かぎはね	乂	りょうばらい

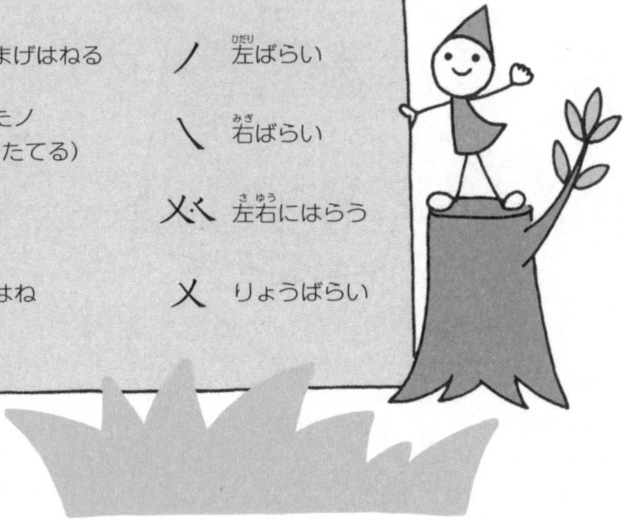

みっつめの　ふうとうの
なかから　かぎがでた。

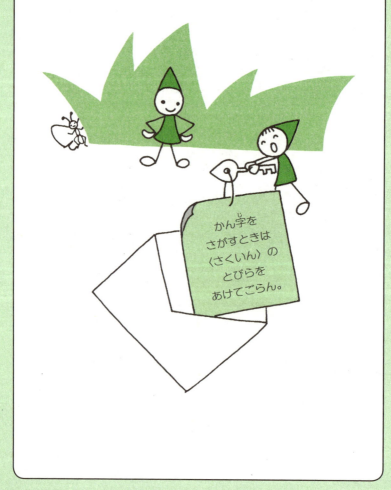

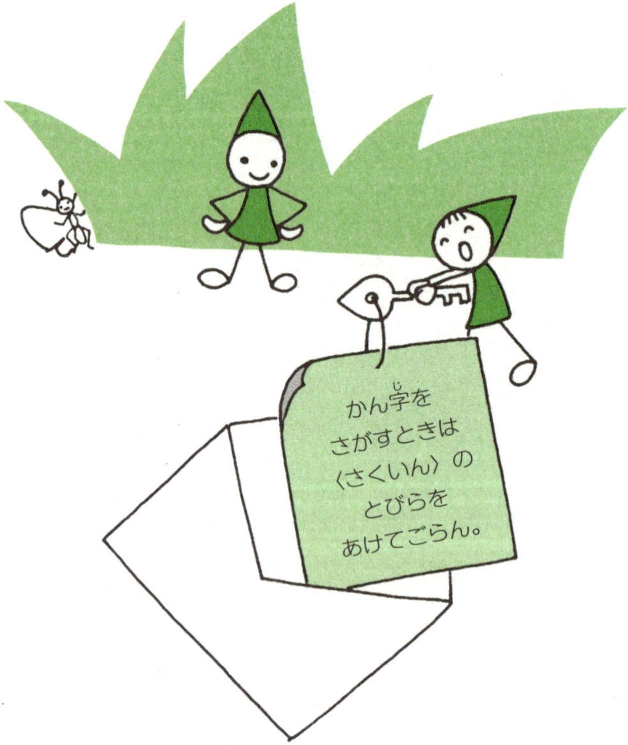

かん字(じ)を
さがすときは
〈さくいん〉の
とびらを
あけてごらん。

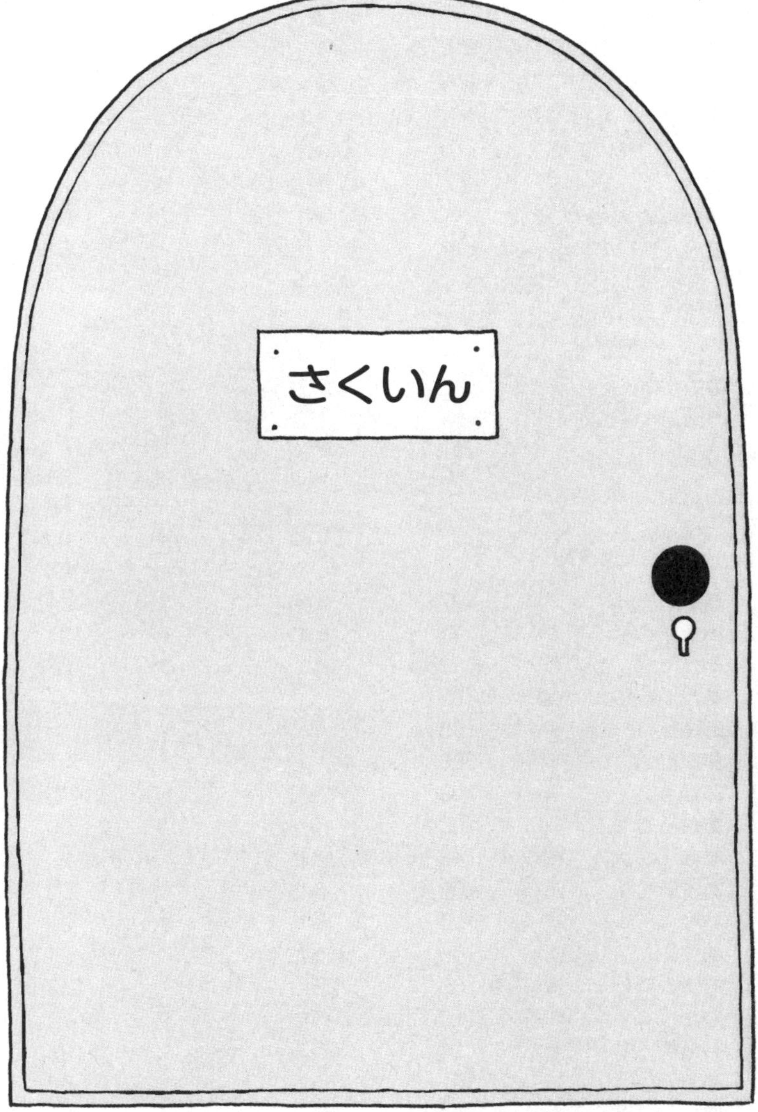
さくいん

おん/くん さくいん

❶読みのわかっている漢字をしらべるときにつかいます。
❷カタカナは音読み、ひらがなは訓読み、細字は送りがなです。（　）は、小学校で習わない読みです。
❸五十音順で、音読み、訓読みの順にならべてあります。同じ読みの場合は、画数の少ない順です。
❹数字は、その漢字がのっているページです。

あ

あいだ　間……… 97
あう　会……… 21
あう　合……… 22
あかす　明………108
あからむ　明………108
あかり　明………108
あかるい　明………108
あかるむ　明………108
あき　秋……… 88
あきらか　明………108
あく　明………108
あくる　明………108
あける　明………108
あさ　朝………118
あたま　頭……… 34
あたらしい　新………151
あたる　当………177
あてる　当………177
あと　後……… 60
あに　兄……… 54
あね　姉……… 25
あゆむ　歩……… 59
あらた　新………151
あるく　歩……… 59
あわす　合……… 22
あわせる　合……… 22
（アン）　行……… 61

い

いう　言……… 41
いえ　家………101
いく　行……… 61
いけ　池………124
いち　市……… 98
いま　今……… 20
いもうと　妹……… 26
いろ　色……… 31
いわ　岩………137
イン　引………157

う

（ウ）　羽……… 75
うお　魚……… 80
うし　牛……… 70
うしろ　後……… 60
うた　歌……… 29
うたう　歌……… 29
うち　内………142
うま　馬……… 72
うみ　海………125
うる　売……… 82
うれる　売……… 82

ウン　雲………121

え

エ　絵………171
(エ)　会……… 21
(エ)　回………128
エン　園………107
エン　遠……… 65

お

オウ　黄………139
おおい　多………116
(おおやけ)　公……… 48
(おくれる)　後……… 60
おこなう　行……… 61
おしえる　教……… 51
おそわる　教……… 51
おとうと　弟………161
おなじ　同………164
おもう　思……… 68
おや　親……… 37
(オン)　遠……… 65

か

カ　科……… 89
カ　夏……… 32
カ　家………101
カ　歌……… 29
(カ)　何……… 18
ガ　画………135
カイ　会……… 21
カイ　回………128
カイ　海………125
カイ　絵………171
ガイ　外………117
かう　買……… 83
(かう)　交……… 14
かえす　帰……… 57
かえる　帰……… 57
かお　顔……… 35
カク　角……… 84
カク　画………135
かく　書……… 49
ガク　楽………155
かざ　風………123
(かしら)　頭……… 34
かず　数……… 52
かぜ　風………123
かぞえる　数……… 52
かた　方………166
かた　形………174
かたち　形………174
かたな　刀………145
かたらう　語……… 45
かたる　語……… 45
カツ　活………127
カッ　合……… 22
ガッ　合……… 22
かど　角……… 84
(かど)　門……… 96
かみ　紙………168
かよう　通……… 62
からだ　体……… 16
(かわす)　交……… 14
カン　間……… 97
ガン　丸……… 30
ガン　元……… 56
ガン　岩………137
ガン　顔……… 35
かんがえる　考……… 28

き

キ　汽……126
キ　帰……57
キ　記……43
き　黄……139
きく　聞……40
きこえる　聞……40
きた　北……19
(きたす)　来……91
(きたる)　来……91
(キュウ)　弓……156
ギュウ　牛……70
ギョ　魚……80
キョウ　兄……54
キョウ　京……99
キョウ　強……158
キョウ　教……51
ギョウ　行……61
ギョウ　形……174
きる　切……147
きれる　切……147
キン　近……64
(キン)　今……20

く

ク　工……144
くう　食……23
くに　国……106
くび　首……33
くみ　組……170
くむ　組……170
くも　雲……121
(くらう)　食……23
くる　来……91
くろ　黒……138
くろい　黒……138

け

ケ　家……101
け　毛……76
(ゲ)　外……117
(ゲ)　夏……32
ケイ　形……174
ケイ　計……42
(ケイ)　兄……54
(ケイ)　京……99
ケン　間……97
ゲン　元……56
ゲン　言……41
ゲン　原……131

こ

コ　戸……95
コ　古……38
(こ)　黄……139
ゴ　午……152
ゴ　後……60
ゴ　語……45
コウ　工……144
コウ　公……48
コウ　広……103
コウ　交……14
コウ　光……55
コウ　考……28
コウ　行……61
コウ　後……60
コウ　高……100
(コウ)　黄……139
ゴウ　合……22
(ゴウ)　強……158

こえ 声………153
コク 国………106
コク 黒………138
(コク) 谷………129
こころ 心……… 67
こたえ 答……… 93
こたえる 答……… 93
こと 言……… 41
こまか 細………169
こまかい 細………169
こめ 米……… 94
(こわ) 声………153
コン 今……… 20
ゴン 言……… 41

さ

サ 作……… 17
(サ) 茶……… 86
サイ 才……… 85
サイ 西……… 79
サイ 細………169
(サイ) 切………147
さかな 魚……… 80
サク 作……… 17
さと 里………133
サン 算……… 92

し

シ 止……… 58
シ 市……… 98
シ 自……… 39
シ 思……… 68
シ 紙………168
(シ) 矢………159
(シ) 姉……… 25
ジ 地………140
ジ 寺……… 50
ジ 自……… 39
ジ 時………109
(しいる) 強………158
シキ 色……… 31
ジキ 直……… 36
(ジキ) 食……… 23
したしい 親……… 37
したしむ 親……… 37
シツ 室………102
シャ 社………143
ジャク 弱……… 74
シュ 首……… 33
シュウ 秋……… 88
シュウ 週……… 66
シュン 春………112
ショ 書……… 49
ショウ 少………176
(ショウ) 声………153
(ショウ) 星………114
ジョウ 場………141
ショク 色……… 31
ショク 食……… 23
しる 知………162
しるす 記……… 43
シン 心……… 67
シン 新………151
シン 親……… 37

す

(ス) 数……… 52
ズ 図………105
ズ 頭……… 34
スウ 数……… 52
すくない 少………176

すこし　少………176

せ

セイ　西……… 79
セイ　声………153
セイ　星………114
セイ　晴………110
セツ　切………147
セツ　雪………120
セン　船………165
セン　線………172
ゼン　前………167

そ

ソ　組………170
ソウ　走……… 53
そと　外………117
(その)　園………107

た

タ　太……… 15
タ　多………116
タイ　太……… 15
タイ　台………160
タイ　体……… 16
ダイ　台………160
ダイ　弟………161
(ダイ)　内………142
たか　高………100
たかい　高………100
たかまる　高………100
たかめる　高………100
ただちに　直……… 36
たに　谷………129
たのしい　楽………155
たのしむ　楽………155
たべる　食……… 23

ち

チ　地………140
チ　池………124
チ　知………162
ちかい　近……… 64
ちち　父………150
チャ　茶……… 86
チュウ　昼………113
チョウ　長……… 27
チョウ　鳥……… 77
チョウ　朝………118
チョク　直……… 36

つ

(ツ)　通……… 62
ツウ　通……… 62
つくる　作……… 17
つの　角……… 84
つよい　強………158
つよまる　強………158
つよめる　強………158

て

(デ)　弟………161
(テイ)　体……… 16
(テイ)　弟………161
てら　寺……… 50
テン　店………104
テン　点………178
デン　電………122

と

ト 図………105
(ト) 頭……… 34
と 戸……… 95
トウ 刀………145
トウ 冬………130
トウ 当………177
トウ 東………132
トウ 答……… 93
トウ 読……… 46
トウ 頭……… 34
(トウ) 道……… 63
ドウ 同………164
ドウ 道……… 63
とおい 遠……… 65
とおす 通……… 62
とおる 通……… 62
とき 時………109
トク 読……… 46
ドク 読……… 46
とまる 止……… 58
とめる 止……… 58
とも 友……… 47
とり 鳥……… 77

な

(ナ) 南………154
ナイ 内………142
なおす 直……… 36
なおる 直……… 36
ながい 長……… 27
なかば 半……… 71
なく 鳴……… 78
なつ 夏……… 32
なに 何……… 18
ならす 鳴……… 78
なる 鳴……… 78
ナン 南………154
なん 何……… 18

に

にい 新………151
ニク 肉……… 69
にし 西……… 79

の

の 野………134
のち 後……… 60

は

は 羽……… 75
バ 馬……… 72
ば 場………141
バイ 売……… 82
バイ 買……… 83
はからう 計……… 42
はかる 計……… 42
(はかる) 図………105
(バク) 麦……… 90
はしる 走……… 53
はずす 外………117
はずれる 外………117
はなし 話……… 44
はなす 話……… 44
はね 羽……… 75
はは 母……… 24
はら 原………131
はらす 晴………110
はる 春………112

はれる　晴……110
ハン　半……71
バン　番……136
(バン)　万……175

ひ

ひがし　東……132
ひかり　光……55
ひかる　光……55
ひく　引……157
ひける　引……157
ひる　昼……113
ひろい　広……103
ひろがる　広……103
ひろげる　広……103
ひろまる　広……103
ひろめる　広……103

ふ

フ　父……150
(フ)　歩……59
(フ)　風……123
ブ　分……146
(ブ)　歩……59
フウ　風……123
ふとい　太……15
ふとる　太……15
ふな　船……165
ふね　船……165
ふゆ　冬……130
ふるい　古……38
ふるす　古……38
フン　分……146
ブン　分……146
ブン　聞……40

へ

ベイ　米……94

ほ

ホ　歩……59
ボ　母……24
ホウ　方……166
ほか　外……117
ホク　北……19
ほし　星……114
ほそい　細……169
ほそる　細……169

ま

ま　馬……72
ま　間……97
マイ　毎……87
マイ　米……94
(マイ)　妹……26
まえ　前……167
まざる　交……14
まじえる　交……14
まじる　交……14
まじわる　交……14
まぜる　交……14
まる　丸……30
まるい　丸……30
まるめる　丸……30
まわす　回……128

まわる　回………128
マン　万………175

み

みずから　自……… 39
みせ　店………104
みち　道……… 63
みなみ　南………154
ミョウ　明………108

む

むぎ　麦……… 90
（むろ）　室………102

め

メイ　明………108
メイ　鳴……… 78

も

モウ　毛……… 76
もちいる　用………163
もと　元……… 56
モン　門……… 96
（モン）　聞……… 40

や

ヤ　夜………119
ヤ　野………134
や　矢………159
や　家………101
やしろ　社………143

ゆ

ユウ　友……… 47
ゆき　雪………120
ゆく　行……… 61
ゆみ　弓………156

よ

よ　夜………119
ヨウ　用………163
ヨウ　曜………111
よむ　読……… 46
よる　夜………119
よわい　弱……… 74
よわまる　弱……… 74
よわめる　弱……… 74
よわる　弱……… 74

ら

ライ　来……… 91
ラク　楽………155

り

リ　里………133
リ　理………173

わ

ワ　話……… 44
わかつ　分………146
わかる　分………146
わかれる　分………146
わける　分………146

画さくいん

❶読みのわからない漢字をしらべるときにつかいます。
❷画数の少ない順にならべてあります。画数が同じものは、音読みの五十音順です。
❸数字は、その漢字がのっているページです。

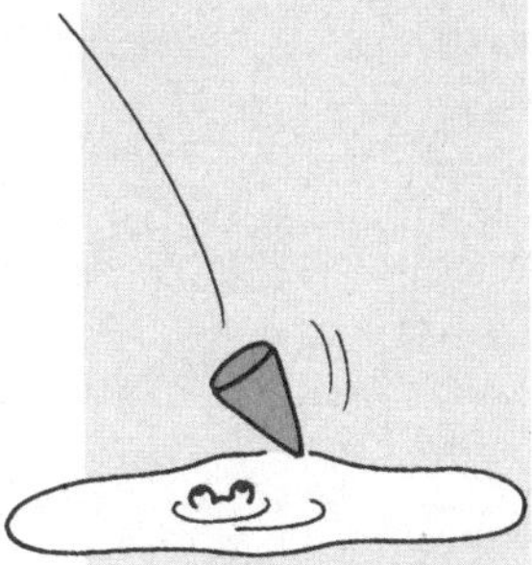

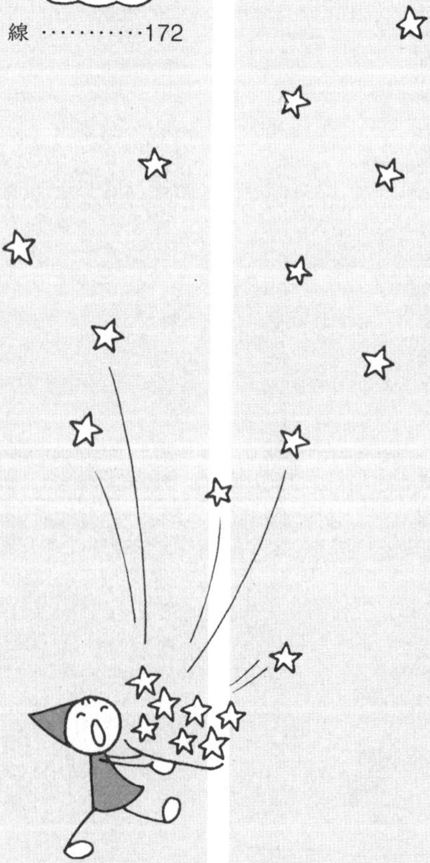

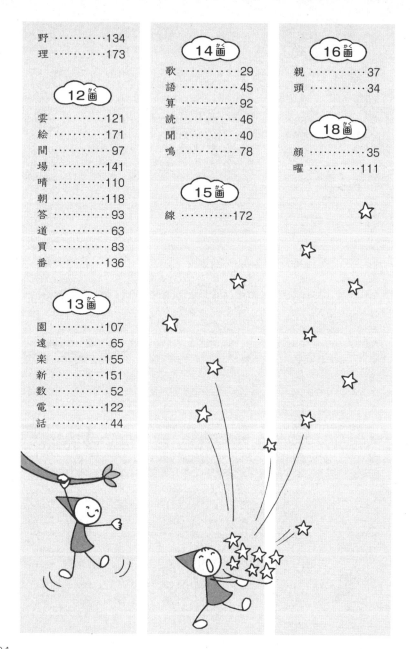

部首さくいん

❶ここでは、2年生でならう漢字を部首ごとにまとめました。
❷部首は、画数順にならべてあります。
❸同じ部首のなかでは、漢字の画数の少ない順にならべてあります。画数が同じものは、音読みの五十音順です。
❹数字は、その漢字がのっているページです。
＊部首のよび名や分け方は、辞典によってことなることがあります。

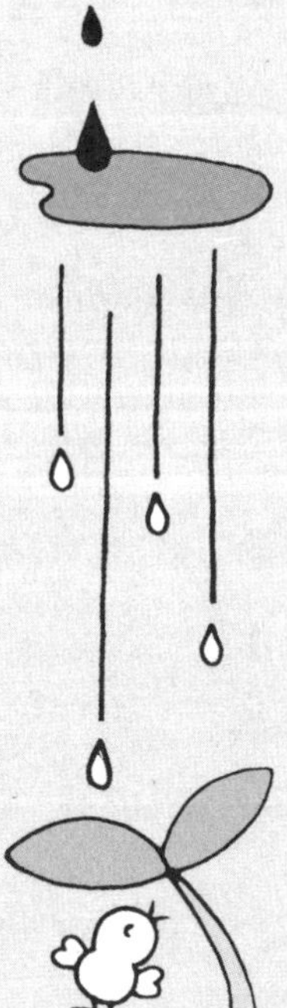

下村式　はやくりさくいん®

❶読みや画数がわからなくても、「型」と「書きはじめ（書き順の一画め）」を手がかりに漢字をさがすことができます。型ごとに、書きはじめでわけた漢字を、画数の少ない順にならべ、画数が同じものは、音読みの五十音順にならべてあります。

3つの型

左右型	たてのまっすぐな線、またはへん・つくりなどで、左右にわけられる（川、休など）
上下型	よこのまっすぐな線、またはかんむり・あしなどで、上下にわけられる（六、草など）
その他型	左右にも上下にもわけづらい（耳、夕など）

4つの書きはじめ

一（よこぼう）	書きはじめが 一（十、木など）
｜（たてぼう）	書きはじめが ｜（目、口など）
ノ（ななめぼう）	書きはじめが ノ（休、竹など）
丶（てん）	書きはじめが 丶（空、音など）

❷型や書きはじめをまようものも、さがせるようになっています。本文にある型とちがうものや、書きはじめをまちがえやすいものは、赤字でしめしてあります。
❸数字は、その漢字がのっているページです。

左右型

上下型(じょうげがた)

その他型

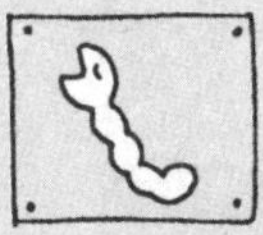

クイズのこたえ

31ページ…①	33ページ…①	34ページ…③	40ページ…②
41ページ…③	56ページ…①	59ページ…③	67ページ…①
69ページ…②	72ページ…①	75ページ…②	80ページ…③
88ページ…②	95ページ…①	98ページ…②	105ページ…②
109ページ…③	114ページ…①	122ページ…①	135ページ…18画(かく)

150ページ…祖父(そふ)＝おじいさん　曽祖父(そうそふ)＝ひいおじいさん

155ページ…①	157ページ…③	171ページ…①

これで
さくいんは
おしまい。

漢字ファミリー分類表

下村式の漢字学習では、漢字を「なりたち」の意味から、人体①〜⑤・動物・植物・住居・自然・道具・服飾・その他の計 12 の「漢字ファミリー」にわけて学びます。

漢字ファミリーのシンボルマーク

人体　動物　植物　住居　自然　道具　服飾　その他

「漢字ファミリー分類表」は、小学校でならう漢字 1026 字を、漢字ファミリーごとにまとめて、ならべたものです。漢字の下の数字は、ならう学年です。色のついた数字は、この本にでてくる漢字です。

＊学年をこえて、なりたちを優先したので、本文とは順番がかわっています。

こんなふうに　つかってみよう

ほかの学年では、おなじ漢字ファミリーのどんな漢字を学んだか、また、これからどんな漢字を学ぶのか、思いだしたり、たしかめたりすれば、学習が深まるでしょう。

人体① 全身（人の全身の形からできた字）

大	太	天	立	並	夫	失	央	交	文	幸	報	要	人	以
1	2	1	1	6	4	4	3	2	1	3	5	4	1	4
似	休	体	仏	伝	仁	仕	任	何	代	他	付	仲	仮	件
5	1	2	5	4	6	3	5	2	3	3	4	4	5	5
作	位	住	信	倍	低	供	使	便	例	側	価	値	係	保
2	4	3	4	3	4	6	3	4	4	4	5	6	3	5
候	修	借	個	俵	俳	優	健	停	備	働	佐	傷	像	億
4	5	4	5	6	6	6	4	5	5	4	4	6	5	4
聖	化	北	比	后	司	身	女	母	妻	姿	委	姉	妹	婦
6	3	2	5	6	4	3	1	2	5	6	3	2	2	5
好	始	媛	子	育	児	字	学	存	季	孫	乳	長	老	考
4	3	4	1	3	4	1	1	6	4	4	6	2	4	2
孝	欠	歌	次	欲	屋	届	展	病	痛	己	丸	巻	包	色
6	4	2	3	6	3	6	6	3	6	6	2	6	4	2
局	居	危	印	今	令	会	合	食	飲	飯	飼			
3	5	6	4	2	4	2	2	2	3	4	5			

人体② 頭（人の頭や顔の形からできた字）

首	真	面	頭	顔	額	頂	順	預	領	題	類	願	目	見	看
2	3	3	2	2	5	6	4	6	5	3	4	4	1	1	6
省	直	眼	相	覚	覧	規	視	親	観	臣	臨	衆	夢	民	口
4	2	5	3	4	6	5	6	2	4	4	6	6	5	4	1
品	名	各	君	告	古	否	喜	号	句	可	味	呼	吸	唱	和
3	1	4	3	5	2	6	5	3	5	5	3	6	6	4	3
命	周	問	商	舌	辞	歯	自	鼻	耳	職	聞	言	音	話	語
3	4	3	3	6	4	3	2	3	1	5	2	2	1	2	2
読	説	評	討	論	認	識	講	議	記	訳	詩	詞	誌	訓	設
2	4	5	6	6	6	5	5	4	2	6	3	6	6	4	5
訪	証	談	試	誠	課	計	許	謝	調	誤	諸	誕	警	護	競
6	5	3	4	6	4	2	5	5	3	6	6	6	6	5	4
善															
6															

人体③ 手（人の手の形からできた字）

手	挙	公	友	指	持	投	打	拾	捨	拝	折	技	招	授	採
1	4	2	2	3	3	3	3	3	6	6	4	5	5	5	5
探	操	批	拡	担	接	推	提	揮	損	共	具	異	興	弁	奏
6	6	6	6	6	5	6	5	6	5	4	3	6	5	5	6
承	尊	有	右	左	差	尺	反	収	取	最	受	寸	寺	将	専
6	6	3	1	1	4	6	3	6	3	4	3	6	2	6	6
導	対	射	就	改	放	故	政	教	数	敗	救	散	敬	敵	整
5	3	6	6	4	3	5	5	2	2	4	5	4	6	6	3
段	殺	支	争	史	書	事									
6	5	5	4	5	2	3									

人体④ 足（人の足の形からできた字）

足	路	止	正	出	歩	歴	疑	夏	発	登	先	元	兄	光	党
1	3	2	1	1	2	5	6	2	3	3	1	2	2	2	6
走	起	行	街	術	衛	往	復	径	役	後	待	徒	従	律	得
2	3	2	4	5	5	5	5	4	3	2	3	4	6	6	5
徳	道	通	進	遠	近	週	過	遊	迷	返	逆	達	追	退	連
4	2	2	3	2	2	2	5	3	5	3	5	4	3	6	4
速	運	送	述	辺	選	造	適	遺	帰	建	延				
3	3	3	5	4	4	5	5	6	2	4	6				

人体⑤その他（人の体の中やうでの形からできた字）

心	思	意	念	想	感	応	急	息	志	忠	恩	愛	悲	悪	態
2	2	3	4	3	3	5	3	3	5	6	6	4	3	3	5
忘	憲	快	性	情	慣	肉	胃	背	脳	胸	肺	腹	腸	臓	脈
6	6	5	5	5	5	2	6	6	6	6	6	6	6	6	5
肥	骨	死	残	力	協	加	助	動	功	効	勤	勉	労	努	勇
5	6	3	4	1	4	4	3	3	4	5	6	3	4	4	4
勢	務	勝													
5	5	3													

動物（動物の形からできた字）

犬	状	犯	独	牛	半	物	牧	特	羊	美	着	義	養	群	馬
1	5	5	5	2	2	3	4	4	3	3	3	5	4	4	2
駅	験	象	鳥	鳴	集	難	雑	羽	習	翌	飛	非	毛	巣	弱
3	4	5	2	2	3	6	5	2	3	6	4	5	2	4	2
西	不	至	奮	虫	蚕	魚	貝	員	負	買	売	責	費	貴	賞
2	4	6	6	1	6	2	1	3	3	2	2	5	5	6	5
賛	賀	貿	貨	貸	賃	資	質	貧	貯	財	角	解	皮	求	革
5	4	5	4	5	6	5	5	5	5	5	2	5	3	4	6
卵	易	属	県	能	熊	鹿									
6	5	5	3	5	4	4									

植物（草や木の形からできた字）

木	林	森	本	末	束	栄	案	条	染	梨	査	乗	松	梅	桜
1	1	1	1	4	4	4	4	5	6	4	5	3	4	4	5
村	校	株	根	枝	樹	植	材	板	枚	柱	棒	札	机	検	格
1	1	6	3	5	6	3	4	3	6	3	6	4	6	5	5
模	権	標	構	横	様	橋	機	械	極	栃	片	版	未	果	由
6	6	4	5	3	3	3	4	4	4	4	6	5	4	4	3
草	芽	菜	花	英	落	葉	薬	苦	若	芸	茶	蒸	荷	著	蔵
1	4	4	1	4	3	3	3	3	6	4	2	6	3	6	6
茨	才	生	産	毎	毒	垂	平	青	静	竹	笑	笛	管	筆	箱
4	2	1	4	2	5	6	3	1	4	1	4	3	4	3	3
節	筋	答	算	策	第	等	簡	築	米	粉	精	糖	秋	秒	移
4	6	2	2	6	3	3	6	5	2	5	5	6	2	3	5
程	税	積	種	穀	科	私	秘	香	麦	来	年	者			
5	5	4	4	6	2	6	6	4	2	2	1	3			

住居（家の形からできた字）

門	戸	間	開	閉	関	閣	京	高	向	倉	舎	余	館	営	家
2	2	2	3	6	4	6	2	2	3	4	5	5	3	5	2
宅	宮	官	宣	室	宿	客	寄	定	実	宝	富	守	安	容	完
6	3	4	6	2	3	3	5	3	3	6	4	3	3	5	4
害	宇	宙	宗	察	密	写	庫	店	広	底	庭	度	府	庁	序
4	6	6	6	4	6	3	3	2	2	4	3	3	4	6	5
座	康	層	囲	図	国	園	団	因	困	固	円	市			
6	4	6	5	2	2	2	5	5	6	4	1	2			

自然（山や川などの自然の形からできた字）

日 1	白 1	旧 5	東 2	春 2	早 1	星 2	景 4	暴 5	昔 3	昼 2	暑 3	暮 6	幹 5	時 2	晴 2
暗 3	昭 3	映 6	昨 4	晩 6	暖 6	曜 2	的 4	月 1	明 2	朝 2	期 3	朗 6	望 4	夕 1	多 2
外 2	夜 2	雨 1	雪 2	雲 2	申 3	電 2	気 1	風 2	川 1	州 3	水 1	永 5	池 2	湖 3	河 5
漢 3	源 6	流 3	海 2	洋 3	波 3	激 6	潮 6	温 3	湯 3	液 5	油 3	活 2	汽 2	注 3	消 3
派 6	泳 3	洗 6	浴 4	沿 6	泣 4	混 5	演 5	漁 4	港 3	深 3	浅 4	満 4	減 5	清 4	潔 5
法 4	治 4	決 3	済 6	測 5	沖 4	潟 4	滋 4	準 5	泉 6	原 2	谷 2	回 2	氷 3	冷 4	冬 2
寒 3	山 1	岩 2	岸 3	島 3	岡 4	岐 4	崎 4	阜 4	階 3	院 3	陽 3	限 5	陸 4	防 5	降 6
除 6	険 5	隊 4	陛 6	障 6	際 5	阪 4	厚 5	厳 6	都 3	郡 4	部 3	郷 6	郵 6	石 1	砂 6
磁 6	研 3	破 5	確 5	金 1	全 3	銀 3	銅 5	鉄 3	鉱 5	鋼 6	針 6	銭 6	鏡 4	録 4	田 1
畑 3	男 1	界 3	町 1	略 5	留 5	番 2	画 2	農 3	博 4	里 2	野 2	入 1	内 2	穴 6	空 1
究 3	窓 6	土 1	圧 5	在 5	型 5	堂 5	基 5	墓 5	地 2	坂 3	場 2	境 5	城 4	域 6	均 5
増 5	塩 4	埼 4	火 1	灰 6	炭 3	災 5	赤 1	黄 2	灯 4	焼 4	燃 5	黒 2	照 4	然 4	熱 4
熟 6	無 4														

道具 (道具や武器の形からできた字)

皿	血	益	盛	盟	酒	配	酸	区	医	去	丁	曲	器	豆	豊
3	3	5	6	6	3	3	5	3	3	3	3	3	4	3	5
示	祭	禁	票	奈	神	社	祖	礼	祝	福	良	料	量	重	置
5	3	5	4	4	3	2	5	3	4	3	4	4	4	3	4
罪	署	刀	切	分	券	列	利	別	刷	副	則	判	制	刻	創
5	6	2	2	2	6	3	4	4	4	4	5	5	5	6	6
割	劇	干	単	刊	式	武	我	戦	王	皇	父	兵	士	新	断
6	6	6	4	5	3	5	6	4	1	6	2	4	5	2	5
所	成	弓	引	強	張	矢	知	短	旅	族	旗	師	声	南	楽
3	4	2	2	2	5	2	2	3	3	3	4	5	2	2	2
業	船	航	服	前	方	車	軍	転	軽	輪	輸	両	弟	必	久
3	2	5	3	2	2	1	4	3	3	4	5	3	2	4	5
用	同	再	冊	典	工	亡	予	氏	井	午	台	処	主	耕	章
2	2	5	6	4	2	6	3	4	4	2	2	6	3	5	3
童															
3															

服飾 (糸や布の形からできた字)

糸	細	紀	経	線	縦	続	組	結	練	約	純	給	納	統	総
1	2	5	5	2	6	4	2	4	3	4	6	4	6	5	5
縮	織	績	編	級	綿	絹	紙	絵	紅	緑	絶	終	縄	系	素
6	5	5	5	3	5	6	2	2	6	3	5	3	4	6	5
幼	率	変	布	希	席	帯	常	幕	帳	衣	表	裏	初	複	補
6	5	4	5	4	4	4	5	6	3	4	3	6	4	5	6
製	装	裁	卒	玉	球	理	現	班	形	参	乱				
5	6	6	4	1	3	2	5	6	2	4	6				

その他 (数や点などをあらわす字)

一	二	三	四	五	六	七	八	九	十	百	千	万	兆	世	小
1	1	1	1	1	1	1	1	1	1	1	1	2	4	3	1
少	当	点	上	中	下										
2	2	2	1	1	1										

メモ

メモ

おうちのかたへ

下村　昇

子どもに漢字を楽しく学ばせるコツは、じつは漢字が本来もっているおもしろさを伝えることです。下村式で覚えた子どもたちは、漢字が好きになります。なぜなら、漢字は小さな部品の組み合わせでできていて、そのことを知ると、学年が進んで難しい漢字が出てきても、書き順も楽に、そして正しく覚えられるようになるからです。この本には、これまでの漢字の学習法にはみられない、いくつかの大きな特色があります。

＊字典ではなく、漢字入門の絵本です

調べるための字典ではなく、楽しむために全体を絵本的に展開。読んでいくうちに、漢字の基本的意味が理解できます。

＊“識字欲”を刺激する「漢字ファミリー」

なりたちのパターンを基本に、関連のある漢字をグループにまとめて「漢字ファミリー」に分け、その順に漢字をならべました。漢字学習にもっとも効果的と考えられる配列になっています。

漢字ファミリーのシンボルマーク

人体　動物　植物　住居　自然　道具　服飾　その他

＊漢字の「なりたち」が基本です

漢字をもともとの絵にもどして、わかりやすく、さらに興味深く漢字の意味を理解できるようにしました。漢字によっては、新字体となって形が変わっているものや、なりたちにさまざまな説があるものもありますので、子どもに興味や関心をもたせる観点から、理解しやすく、覚えやすい形で表現・創作してあります。

＊リズムにのった「となえかた」で漢字をイメージ化

独自の下村式の「口唱法®」で、唱えながら筆順が覚えられます。

＊音・訓よみの例文が、理解と応用を助けます

それぞれのよみの的確な例文を収録。漢字の理解だけでなく、文章力をつける手助けにもなります。

以上が、この『となえて　おぼえる　漢字の本』（学年別／全6巻）の特色です。本文をちょっと読んでください。まったく新しい発想とアイデアでつくられた、字典ではなく「楽しい読み物としての漢字の本」であることがわかっていただけると思います。「漢字ファミリー」に注目しながら、全学年を通して読むと、いっそう漢字への理解が深まります。

なお、この『となえて　おぼえる　漢字の本』にもとづき、「口唱法」による漢字の書き方の練習や、ストーリー性のある例文で漢字の生きた使い方の学習ができる『となえて かく 漢字練習ノート』（学年別／全6巻）と併用すると、さらに学習が深まります。

── 改訂版によせて ──

本書は、1965年に出版された『教育漢字学習字典』（下村昇編著・学林書院刊）を底本として、その約10年後の1977年に誕生しました。

子どもたちが従来の勉強方法から脱却し、なんとか楽しく、能動的・積極的に漢字の学習に身を乗りだしてくれるようにしたいという願いからつくったのですが、「口唱法」という体系的な指導法を創出するのに、最初の『教育漢字学習字典』を上梓してから、実証実験におよそ10年がかかったのです。その間、秋田県・茨城県をはじめ、諸所の国語研究会の先生方に実践検証のために多くのお力をいただきました。

こうして、授業や家庭でも効果が実証された下村式の漢字学習法・口唱法の内容に、楽しい挿絵を絵本作家のまついのりこさんに描いていただき、できあがったのが本書です。数度の改訂を経て、今回新たな学習指導要領に沿った『漢字の本』ができあがりました。

こんなにも長く愛される本になるとは、著者である私も驚いています。そして今では、「親子二世代この本で漢字を学びました」という声を聞いたり、小学生のみならず、幼児にも読まれているという話も聞いたりしております。大変うれしいことです。新しくなった『漢字の本』が、これから漢字を覚えるみなさんのお役に立てることを祈っています。

『となえて おぼえる 漢字の本』をつくった人

●下村 昇（しもむら・のぼる）

1933年、東京生まれ。東京学芸大学卒業。小学校教諭、東京都教科能力調査委員、全国漢字漢文研究会理事などを経て、「現代子どもと教育研究所」所長。『下村式 となえて かく 漢字練習ノート（学年別／全6巻）』『下村式 ひらがな練習ノート』（偕成社）、『ドラえもんの学習シリーズ（内5巻）』（小学館）など、漢字・国語関連の学習書や児童文学など、著書多数。2021年逝去。

●まついのりこ

1934年、和歌山生まれ。武蔵野美術大学卒業。自分の子どもに作った手づくり絵本をきっかけに、物語性のある知識絵本や、観客参加型の紙芝居を発表。絵本『ころころぽーん』で1976年、ボローニャ国際児童図書展エルバ賞、紙芝居『おおきくおおきくおおきくなあれ』で1983年、五山賞を受賞。『じゃあじゃあびりびり』（偕成社）など、著書多数。2017年逝去。

編集協力＝本多慶子・川原みゆき
改訂協力＝下村知行・日本レキシコ・ニシ工芸
なりたち図版協力＝刑部佐知子
装丁＝ニシ工芸（小林友利香）

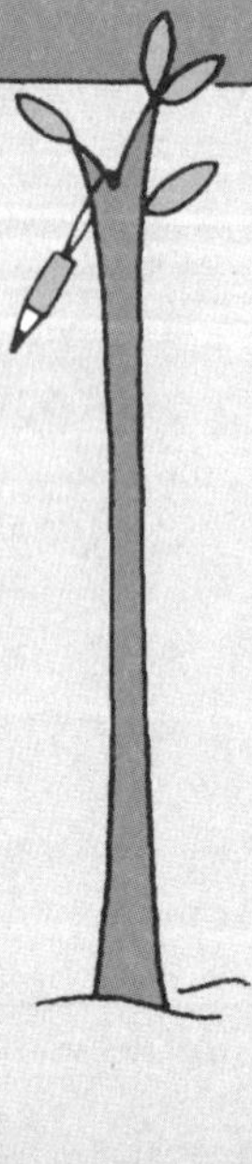

となえて おぼえる **漢字の本 小学2年生** 改訂4版

下村 昇＝著／まついのりこ＝絵

1977年5月初　版1刷	1989年9月初　版78刷
1990年3月改　訂　版1刷	2000年6月改　訂　版47刷
2002年2月改訂2版1刷	2010年1月改訂2版14刷
2011年11月改訂3版1刷	2017年8月改訂3版7刷
2019年2月改訂4版1刷	2024年1月改訂4版4刷

発行者 今村正樹　**印刷** 大昭和紙工産業　**製本** 難波製本
発行所 偕成社　〒162-8450 東京都新宿区市谷砂土原町3－5

ISBN978-4-03-920520-9　NDC811　224p.　19cm